O EFETIVO COMBATE AO CRIME DE PLÁGIO

O respeito à função social da propriedade imaterial e a
produção científica como foco

RODRIGO ARAÚJO SARAIVA

Advogado e Professor Universitário. Especialista em Direito Civil e Direito Processual Civil. Especialista em Direito do Trabalho e Direito Processual do Trabalho. Mestre em Criminologia.

O EFETIVO COMBATE AO CRIME DE PLÁGIO

O respeito à função social da propriedade imaterial e a produção científica como foco

EDITORA MERAKI

2022

Acompanhamento editorial Leonam Liziero
Direção de arte Brenda Santos

S243   Saraiva, Rodrigo Araújo.
       O efetivo combate ao crime de plágio: o respeito à função social da
propriedade imaterial e a produção científica como foco/ Rodrigo Araújo
Saraiva. Andradina: Meraki, 2022
       Bibliografia
       ISBN 978-65-887-8116-6
       1. Direito Penal 2. Direitos Autorais
       1. Título
       CDD – 345.02

Para, e por, minha filha Helena.
O reluzir de Deus em minha vida.

O contemporâneo livro trata-se da publicação da dissertação do autor no Mestrado em Criminologia que foi cursado na Universidade Fernando Pessoa – UFP, em Porto/Portugal.

É com imensa felicidade que a referida obra materializa-se livro, depois de tantos estudos e dedicação a tal feito. Sabe-se que a vida é um caminho permeado de escolhas, repleta de abnegações, e o cursar desse Mestrado me mostrou que posso cruzar o mundo e percorrer os meus sonhos. Me mostrou que temos capacidade de atingir o até então inimaginável.

Essa experiência foi iniciada pela sede no aprofundar do conhecimento, já que acabara de iniciar a vida docente universitária. E o tema proposto na dissertação e consequentemente alvo central do presente livro foi inspirado nos alunos em geral que muitas vezes recorriam ao plágio como instrumento de pesquisa e confecção de trabalhos, projetos de pesquisa e até mesmo TCCs.

Com isso, vi a imperiosa necessidade de estudar o tema, não somente acerca do crime de plágio propriamente dito, como conduta transgressora da norma penal, mas com um viés criminológico, próprio do profissional da Criminologia.

Assim, o prezado livro em apreço tratará da conduta de plágio, até mesmo num contexto empírico-fático, mas também versará da importante valorização e estímulo da pesquisa científica, da criação intelectual como modificadora de realidades.

É com esse perfil de professor, advogado e agora escritor, que a obra em tela discute, de forma profunda e ao mesmo tempo acessível, o combate ao crime de plágio pela educação, pelo estímulo à função social da ciência, da pesquisa científica e seu poder desde os primórdios.

Entender que todos são capazes, mesmo diante de inúmeras dificuldades que efetivamente exista, de produzir ciência, de produzir conteúdo relevante e de importante discussão como forma de contributo à realidade social ao qual está inserido.

Trata-se de uma missão!

Todos podemos ser cientistas, professores, escritores ...
E tudo começa pela educação.

O presente livro é um estímulo à educação, a busca desenfreada pelo conhecimento, estimando que seja um importante elemento de reflexão para o leitor. E, para sempre, VIVA A CIÊNCIA!

ÍNDICE

Introdução...13

Parte I – Enquadramento Teórico..19

1. O PLÁGIO E SUA CATEGORIZAÇÃO JURÍDICO-SOCIAL....21

1.1 A Elucidação Multilateral do Plágio.................................21

1.2 O Contexto Histórico e Atual da Legislação Brasileira frente ao Plágio Académico e à Propriedade Intelectual............................30

1.3 Legislação Portuguesa Correlata sobre o Plágio e Direito Autoral...49

2. O PLÁGIO E A PRODUÇÃO ACADÉMICA...............................57

2.1 O Plágio e os Alunos..57

2.2 O Perfil e Evidências Daquele que Utiliza o Plágio em sua Produção Académica...61

2.3 Problema Social ou de Caráter? Quais os Possíveis Motivos Determinantes?..67

2.4 A Conscientização quanto à Prática Ilícita de Plagiar um Trabalho.73

2.5 A Postura do Professor/Universidade frente ao Plágio Académico e Autoria Científica..80

3. A ATUAÇÃO ESTATAL EFETIVA E O COMBATE AO SIMBOLISMO PENAL...86

Parte II – Estudo Empírico 89

1. METODOLOGIA...91

1.1 Justificativa e Objetivos da Investigação.........................91

1.2 Caracterização do Estudo..93

1.3 Material/Instrumento de Recolha de Dados....................94

1.4 Procedimentos..95

2. PARTICIPANTES/AMOSTRA..98

2.1 Análise da Caracterização e do Resultado Sociodemográfica da Amostra...99

3. APRESENTAÇÃO E DISCUSSÃO DOS RESULTADOS.........108

3.1 Resultados obtidos com Alunos do 1º Período em Licenciamento em Direito...109

3.2 Resultados obtidos com Alunos do 9º Período em Licenciamento em Direito...123

Conclusão...**135**

Bibliografia...**138**

Prefácio

Rodrigo Araújo Saraiva decidiu, em boa hora, dar à estampa o resultado do mestrado em Criminologia que realizou, com enorme sucesso, na Universidade Fernando Pessoa em Portugal. Trata-se de uma obra que incide sobre um tema candente e dotado de uma atualidade que perdurará ainda muito tempo. De facto, o crime de plágio, em especial no contexto académico, embora não seja um fenómeno novo, encontra na sociedade da informação, intrinsecamente digital, onde o acesso à informação é exacerbadamente facilitado, as condições perfeitas para prosperar. Como assinala o Rodrigo na introdução da obra, "[o] mundo globalizado (...) demonstra a necessidade do rápido acesso às informações e produções de conhecimentos científicos de forma integrada, de modo que a informação passa a ser universal, muitas vezes sem raízes, sem destinatário, levando a parecer ser sem dono, sem proprietário intelectual". Gera-se assim um fenómeno de repetição e normalização da não atribuição da autoria devida. Ao que se junta a imediatez e voracidade da nossa sociedade atual, que, em certas ocasiões, propulsiona o autor do crime de plágio a optar pelo caminho mais fácil – o da cópia e da apropriação intelectual -, em detrimento de uma necessária pausa para a reflexão científica, amadurecimento de ideias e a sua exteriorização.

O Autor toca precisamente na temática do "crime de plágio e seu desmembramento consequencial no mundo teórico e prático, deveras contemporâneo neste mundo globalizado, em que as interações sociais por meio da tecnologia encurta distâncias, faz com que, mesmo diagnosticando a alta frequência, seja pouco debatido". Contribuindo assim para uma discussão mais ampla sobre a mesma. Com esse objetivo em mente, aposta num tratamento sistematizado dos postulados essenciais para a sua cabal compreensão teórica e empreende um interessantíssimo estudo empírico que merecerá com certeza toda a atenção do leitor.

Indubitavelmente, a obra agora publicada – "O efetivo combate ao crime de plágio: o respeito à função social da propriedade imaterial e a produção científica como foco" – constitui um contributo sério e incontornável no estudo do crime de plágio, constituindo assim um instrumento de enorme valia para os juristas, professores, educadores e demais membros da comunidade.

Em jeito de conclusão, não posso deixar de endereçar ao Rodrigo uma palavra de felicitação e apreço.

Felicitação pela publicação deste livro, que é o culminar de um enorme esforço pessoal e profissional. Ousou atravessar o atlântico e deixar o conforto da sua casa e família, da sua universidade e país para frequentar um curso de mestrado em criminologia numa universidade europeia. Foi, sem qualquer dúvida, um desafio muito complexo a todos os níveis. Mas o Rodrigo ultrapassou-o com mestria. E porque a simples leitura do livro poderia ser insuficiente para transmitir a coragem e sacrífico que está subjacente à sua redação, não pude omitir esta referência.

Termino com a expressão do meu apreço pelo Rodrigo, enquanto ser humano e profissional. Apesar da sua juventude, possui uma maturidade e sensibilidade raras, e conta com um percurso académico e profissional assináveis.

Que este livro seja o primeiro de muitos e o prenúncio de voos académicos ainda mais altos!

Porto, 3 de fevereiro de 2022

PEDRO MIGUEL FREITAS
Docente Universitário

Introdução

A presente temática do crime de plágio e seu desmembramento consequencial no mundo teórico e prático, deveras contemporâneo neste mundo globalizado, em que as interações sociais por meio da tecnologia encurta distâncias, faz com que, mesmo diagnosticando a alta frequência, seja pouco debatido.

Isso porque, diante de demais condutas delituosas, esta parece ser insignificante para todo o contexto social e econômico ao qual o Estado e a população estejam inseridos, de modo que a identificação de fatores criminológicos fique de lado entre condutas criminais mais graves e reprováveis.

O fato é que estudos, ações, prevenções, punições, análise circunstancial e consequencial do ato de plágio estão cada vez mais raras no contexto atual ao qual todo profissional ou acadêmico está inserido, a ausência de reprovabilidade social mediante a presença da impunidade faz com que tal prática ilícita seja percebida, mas não punida.

O mundo globalizado, ao qual se ilustrava, demonstra a necessidade do rápido acesso às informações e produções de conhecimentos científicos de forma integrada, de modo que a informação passa a ser universal, muitas vezes sem raízes, sem destinatário, levando a parecer ser sem dono, sem proprietário intelectual.

Tal cultura mundial, de não creditar a autoria científico-intelectual, demonstra tamanha contribuição para a ausência de atitudes que combatam, efetivamente, o crime de plágio ao redor de todo o mundo.

A produção científica, que denota tamanha importância ao desenvolvimento tecnológico, social, político e econômico de uma sociedade, fica sob um segundo plano quando esta não ocorre em massa, mas apenas é proliferada de uma contribuição já lançada, isto é, a reprodução do que já existe, sem inovação, sem cientificidade, sem experimentação, sem produção real.

As cópias ilícitas demonstram a inobservância da importância mundial e social da produção científica como instrumento de revolução e aprimoramento do conhecimento, uma vez que o contexto científico necessita de constante renovação, para que o campo da ciência seja dinâmico e não estático diante das falsas continuidades de conhecimentos produzidos.

Vale dizer que, assim, a pesquisa científica que se inicia, e que objetiva justamente o começo da discussão, gera inquietação pelo comodismo acerca da responsabilidade de cada dentro da seara social ao qual está, ou pelo menos deveria, estar envolvido.

Ser, exclusivamente, parte de um conjunto social não contribui efetivamente para o desenvolvimento desta sociedade, ao contrário, estagna sua existência ao não contribuir cientificamente para o alcance de novas percepções e resultados.

Desse modo, a contemporânea tese científica busca responder questionamentos básicos acerca do crime de plágio, como: Por que tal prática é tão frequente e não recebe a devida atenção? Por que as pessoas não são dotadas de responsabilidade autoral? Por que a utilização das cópias ilícitas é mais recorrente que a inovação científica? Os alunos sabem, por menor, o que é o plágio e seus elementos?

São questionamentos como estes, que demonstram as problemáticas da presente temática, que revelam a abordagem teórica e prática do trabalho, rondando sob esferas individuais, acadêmicas e sociais do cometimento do crime de plágio, de forma que sua análise seja totalmente integrada com a verdadeira função social da pesquisa científica, da propriedade intelectual como direito da personalidade que visa proteger e estimular.

Neste diapasão, verifica-se que a tese objetiva toca em assuntos profundos acerca da conduta humana e sua necessidade criminógena, buscando evidenciar a possibilidade de trato social do respectivo problema acerca de constatação de fatores de risco e proteção.

Tal medida se faz amplamente necessária quando analisado o ponto de vista que a conduta humana não nasce de um ser humano delituoso, mas sim de uma reiteração transindividual, motivo pelo qual se faz crer na mudança de comportamento e evolução de métodos na produção científica, ligado à melhor noção de autoria real.

Para tanto, mesmo diante de temática tão obscura e ignorada, é importante se deparar com conceituações, aspectos teóricos e práticos das matérias e, ademais, reflexões críticas acerca das atitudes e omissões de autoria real, para que o diálogo e importância do tema de combate ao crime de plágio ecoe dentro do meio interior da individualidade humana ao alcance social de projeção máxima, com intuito do estímulo à produção científica contributiva.

Assim, o contributo acerca do presente tema desta tese ronda sob o enfoque, precipuamente, do despertar ao fato de que o crime de plágio existe, é fato típico, que atenta contra a propriedade intelectual e autoral de um cientista pesquisador, bem como pode ser imputado diretamente culpabilidade, nascendo assim o poder-dever do Estado de punir ações/omissões transgressoras.

Num segundo prisma, não menos importante, a presente tese contribuirá para a tentativa, no mínimo, de sem verificar os fatores que levam as pessoas a se refugiarem no uso das cópias ilícitas, mesmo quando tal conduta já se encontra dotada de reprovabilidade tanto social quanto jurídica.

Além disso, como objetivo desafiador, merece destaque o contributo da presente discussão acerca da temática que circunscreve o plágio, no sentido de alcançar o norte da conscientização humana quanto aos prejuízos advindos de tal conduta delitiva e, ao revés, do benefício a ser alcançando por meio da prática autoral de pesquisas científicas, no intuito de que cada ser humano seja agente transformador de sua realidade por meio da ciência legítima.

Para tanto, o presente trabalho científico se dividirá, para melhor elucidação do tema em análise, numa parte relacionada ao enquadramento teórico e outra parte que diz respeito ao estudo empírico, com vistas a justamente servir de chave para o início da discussão multifacetada acerca do plágio, sem compromisso, a priori, de esgotar a matéria que deverá ser explorada ainda em inovação autoral em 3º ciclo, evidenciando a necessidade contínua de estudos e discussões científicas acerca da respectiva matéria.

Dessa forma, no enquadramento teórico, o primeiro capítulo introduzirá o campo ao qual está inserido o crime de plágio, sua elucidação complexa e multilateral, conceituando o instituto, para melhor entendimento do leitor acerca da matéria, bem como traçando os envolvidos direta e indiretamente na situação em voga, além do que uma possível área desta conduta delitiva. Para isso, será analisado, também, o contexto histórico legislativo acerca do plágio.

Ainda no primeiro capítulo, será necessário o estudo técnico e interpretativo da legislação brasileira e portuguesa acerca da criminalização de condutas delituosas sobre as cópias ilícitas, buscando verificar o uso do direito comparado entre ordenamentos jurídicos diferentes que, no entanto, oportunizam o crime de plágio como destaque de análise. Isso faz com que a presente pesquisa rompa fronteiras legislativas e, consequentemente, possa ser lida e interpretada por qualquer leitor alvo do globo.

Ultrapassadas tais premissas básicas e introdutórias, adentra-se, por força do segundo capítulo teórico, no mundo do plágio académico, que trabalhará a relação entre as cópias ilícitas e os alunos, ou seja, no ambiente educacional, bem como a interação de tais condutas criminosas com a postura do professor e universidade ao qual o aluno está vinculado. Neste intervalo, será possível observar os aspectos motivacionais pelo qual o crime de plágio venha a existir e como podem ser realizadas atitudes de estímulo com finalidade de inovação científica ligada à produção académica.

Evoluindo a discussão do plágio no terceiro capítulo, não podendo se eximir acerca da reflexão crítica do papel do Estado diante do presente caso, no capítulo terceiro verifica-se a necessidade desta busca de responsabilidade por meio dos agentes estatais, evitando, em contramão, assinaturas legislativas populistas e desenfreadas, que busquem repercussão jurídica e não apenas atingimento do interesse social, quando, na verdade, os instrumentos sociológicos e jurídicos pairam sob a real necessidade dos indivíduos que compõem a população do Estado.

Na parte empírica, relacionada à pesquisa de campo com inquéritos respondidos por alunos do 1º (primeiro) e 9º (nono) período, fora realizada a pesquisa de campo que tentará mensurar o ideal de cada ser humano, académico, da recorrência, importância, ou não, ao combate do crime de plágio, com guilhões de perguntas acompanhados com termo de consentimento devidamente assinado.

Tal pesquisa prática, a ser realizada mediante inquérito, tem por base a tentativa de traçar perfis acerca do plágio, para tão somente assim, poder agir os professores, a universidade e o Estado como promotor de políticas públicas voltadas ao desenvolvimento social.

Neste ponto específico, a estruturação da pesquisa a ser exposta segue a necessidade pormenor de se demonstrar os objetivos do empirismo, a caracterização do estudo, os participantes componentes da amostra, o material e instrumento de colheita dos dados, o procedimento utilizado para tanto e, por fim, a elucidação e discussão dos resultados obtidos, de forma a integrar com a bibliografia e as técnicas de pesquisa abordadas.

Por fim, chegar-se-á à conclusão da presente tese, com fito de verificar toda a explanação teórica a ser ventilada em conjunto do apurado empírico da amostra, bem como a ilustração de necessidade de continuação de discussão acerca da temática escolhida, pela busca da autoria na produção científica e respeito à função social da propriedade intelectual.

A continuidade de trabalho na respectiva temática a ser explorada revela que o conhecimento nunca se finda, nunca se esgota totalmente, motivo motriz que serve de gasolina para mover o pesquisador, que passeará, neste momento, e em momento posterior que se perdurará, em várias áreas do conhecimento humano, não se restringindo a tipos penais.

A Criminologia, enquanto ciência, não é limitada por instrumentos engessados de pesquisa, assim como a presente discussão teórico e prática, uma vez que o plágio em si denota muito mais que aspectos jurídicos, mas também sociais, psicológicos, políticos e econômicos, sendo um tema que vem se mostrando cada vez mais atual e multifacetado, alvo de observações não científicas, o que deve ser rompido e a epistemologia deve ser aderida ao fato social em comento, qual seja o delito de plágio.

Nesta quadra, cumpre esclarecer que o estudo a ser desenvolvido denota de pura cientificidade com institutos e aspectos práticos a serem trabalhados, de forma neutra e imparcial, de modo que o pesquisador seja apenas um mediador entre o mundo teórico e o mundo prático, objetivando revelar o melhor do tema de pesquisa, com fito de alcançar no leitor a reflexão crítica e mundial do plágio.

Parte I – Enquadramento Teórico

1

O plágio e sua categorização jurídico-social

O presente capítulo tratará, de forma objetiva e coesa, da introdução teórica acerca do tema de escolha para pesquisa, qual seja o plágio e sua configuração no tempo e espaço a que está intrinsicamente ligado.

Para tanto, se baseará em documentos doutrinários de autores que denotam conhecimento formal e imparcial acerca do plágio como fonte de observação da conduta criminógena humana, motivo pelo qual se revela a importância do contemporâneo capítulo para entendimento global acerca da temática a ser apresentada.

1.1 A Elucidação Multilateral do Plágio

Reconhecer o plágio como instituto, conduta e crime altamente complexo e profundo é um pontapé inicial que, inclusive, justifica a escolha do tema, pois dimensiona discussões e interliga aspectos científicos que muitas vezes são estudados de forma equidistantes, como sociologia e direito penal.

Assim, o plágio configura-se como transgressão de produção autoral utilizada por alguém como se sua fosse, sem dedicar os créditos devidos ao autor que, eminentemente, produziu e, empiricamente falando, chegou a conclusões que permeiam resultados à problemática de uma determinada pesquisa.

Primeiramente quando analisado o Dicionário da Língua Portuguesa, de Michaelis (2012), colhe-se que:

Plagiar significa cometer furto literário, apresentando como sua uma ideia ou obra, literária ou científica, de outrem. 2 Usar obra de outrem como fonte sem mencioná-la. 3 Imitar, servil ou fraudulentamente. (MICHAELIS, 2012)

Moraes (2014, p. 49) sustenta que:

Pode-se dizer que plágio é a imitação fraudulenta de uma protegida pela lei autoral. Ocorre verdadeiro atentado aos direitos morais do autor: tanto à paternidade quanto à integridade de sua criação.

(...)

O plágio representa o mais grave ilícito contra a propriedade intelectual. É mais grave do que a contrafação (pirataria), pois envolve questões éticas que ultrapassam aspectos meramente econômicos.

Ademais, nas palavras de Krokoscz (2012, p. 11), o plágio:

Trata-se de qualquer conteúdo (artístico, intelectual, comercial etc.) que tenha sido produzido ou já apresentado originalmente por alguém e que é reapresentado por outra pessoa como próprio ou inédito.

De forma crítica e bem acentuada, por fim, Moraes (2014, p. 49) explora que "o conceito de plágio não está na lei (...) trata-se de conceito aberto, fluido". Assim como já supracitado, é essa fluidez doutrinária e científica que provoca encanto e necessidade desafiadora de produzir postulados reflexivos sobre a temática.

Desse modo, de forma bem simplificada, o respectivo instituto faz menção à justamente a uma cópia ilícita, não necessariamente apenas ao ato de copiar, tendo em vista que colagens, reproduções, transcrições, exemplares, não fazem com que o crime de plágio insurja-se sobre a presente situação.

Ao revés, os pesquisadores podem e devem se utilizar de postulados anteriores ao novo ponto de partida acerca de uma temática, como ocorre no presente caso, tendo em vista que o Estado da Arte em que se encontra o trabalho a ser realizado demonstra muito do que ainda se pode explorar e alcançar como resultado científico propício a gerar contributos no mundo prático.

É exatamente o que ilustra Moraes (2014, p. 42) ao aduzir que: "O direito autoral nasceu para estimular a criação e não para engessá-la (...) obras semelhantes podem coexistir de forma harmônica, sem a incidência de plágio".

Ainda nas palavras do respeitoso Krokoscz (2012) é possível verificar que o entendimento supracitado encontra baliza doutrinária neste sentido, se não veja-se:

> Entretanto, em relação aos conteúdos intelectuais (ideias, textos, trabalhos, atividades etc.) o plágio ocorre não por causa da reprodução, mas porque os créditos não foram atribuídos ao responsável original. (Krokoscz, 2012, p. 11).

Neste diapasão, verifica-se que, diferentemente do que ocorre no consenso prático social, o plágio não consiste no simples ato de cópia, reprodução ou utilização de algo já, anteriormente, produzido, mas sim na inexistência de ressalvas quanto aquele pesquisador que atingiu tais resultados.

Desse modo, o presente estudo não busca aterrorizar as relações académicas existentes no mundo da pesquisa, entretanto, não pode se olvidar de que tal mundo educacional consiste em farto momento de produção de ciência, cientificidade, buscando que os discentes sejam técnicos e contributivos para a sociedade que o cerque.

Assim, infere-se que há o plágio, isto é, um tipo de cópia que se configura indevida pela ausência de créditos mencionando o verdadeiro autor, é criminalizado no Brasil e em Portugal, motivo pelo qual deve-se notar uma enorme diferenciação entre o plágio conduta e o plágio crime, mesmo que de modo dificultado.

Nesse contexto, calha ressaltar que um crime, qualquer que seja, corresponde a um misto de passos legislativos de observações fatidicamente sociais que ameaçam a vida harmônica em sociedade e coloca em risco a segurança jurídica no meio coletivo.

Por esse motivo revela-se altamente oportuna a elucidação reflexiva do plágio como conduta a ser criminalizada, observando, para tanto, o motivo final que leva os legisladores a tipificarem tal conduta como crime.

Desse modo, o motivo pelo qual se criminaliza o plágio, com entendimento real de sua conceituação, é porque, além do objeto material atingido por tal conduta delituosa ser aquele a quem deveria ter sido dado crédito, ainda se toca em prejuízo efetivo e real à sociedade na medida que não há inovação científica que contribua para o desenvolvimento social, mas, pelo contrário, só reproduz enunciados prontos sem contribuição prática para o sistema ao qual está inserido.

Com isso, calha, novamente, se voltar ao conceito prático de plágio, qual seja a ausência de nomeação à autoria científica em consequente cópia realizada, para que seja consubstanciado o objeto jurídico pelo qual o tipo penal se molda.

Isto é, o direito autoral é o bem juridicamente tutelado para a criminalização do plágio, uma vez que além de outros ramos do Direito, como o Direito Civil e Empresarial, que protegem a propriedade intelectual, o Direito Penal recebe a missão única e precípua de destacar tal conduta de plagiar como alvo de elemento criminal.

Isso demonstra que, além de atentar bem jurídico devidamente tutelado pelo Estado, brasileiro ou português, a criminalização do plágio recai sobre a reprovabilidade social, cultural, econômica e política acerca do ato de plagiar, ilustrando, ainda, que tal prática não possui respaldo nem jurídico nem eminentemente social.

Toda essa situação revela o quão reprovável, antes mesmo de ser crime, o plágio é e deve ser considerado. A propriedade intelectual, mesmo que seja um direito individual daquele que exerce a criação racional intelectiva, é direito que provoca efeitos erga omnes, ou seja, para toda a coletividade.

Neste ínterim, colhe-se passagem bastante neutra acerca da referência entre plágio e autoria, que demonstra que não há a busca pela novidade total no mundo científico, mas sim a busca original da elucidação do pesquisador, se não veja-se:

Todo criador intelectual recebe influências do contexto histórico-social em que vive. Em face do autor, ainda que inconscientemente, se aproveitar do acervo da cultura, o direito autoral não exige novidade absoluta, mas apenas originalidade. A obra não precisa trazer algo absolutamente novo.

(...)

O criador está imerso em sua condição histórica, preso às raízes e aos costumes de seu povo. Pode-se dizer que cultura é algo sempre inacabado, assim como é sempre inconcluso um software aberto. Em outras palavras: a cultura consiste em um estar-se-fazendo eterno. (SILVA Org., MORAES, 2014, p. 41)

A produção científica, assim sendo foco do presente trabalho, não serve apenas para aquele que é seu criador, ao revés, provoca a quebra da realidade estática ao qual este está inserido, se valendo da mesma para suscitar problemáticas, provocar hipóteses e, ao fim, apurar possíveis resultados que podem servir de soluções a eventuais questões sociais.

Além disso, calha verificar que estar-se-á diante do ideal de identidade acadêmica de uma nação, de trabalhar perfis educacionais para trazer contributos para o país, buscando romper a incipiência patriota com relação às produções científicas.

Dessa forma, a criminalização do plágio enquanto conduta reiterada, principalmente no meio brasileiro em que muito se considera o "jeitinho", como acertadamente bem sugere Krokoscz (2012, p. 2), faz com que elementos ou fatores de prevenção e de punição atuem nos presentes casos concretos, ou pelo menos é o que se espera.

Superada tal premissa de defesa em nome do Poder Legislativo que, exercendo seu mister de habilidades e competência, acertadamente atuou no sentido de criminalizar a prática de plágio, passa-se a observar que esta conduta transgressora, além de todo o exposto, configura-se deveras complexa, pois pode ser exercida em vários locais do cotidiano social, bem como ocorre com demais delitos comuns, como homicídio, estupro, lesão corporal etc

25

motivo pelo qual, posteriormente, será analisado isoladamente e em comparações com delitos deste tipo.

Desta feita, cabe mencionar que o plágio nem sempre ocorre dentro do ambiente institucional educacional, embora seja significativo tal local de ocorrência, merecendo, assim, prosperar que tal instituto jurídico-social não possui raízes presas apenas a uma situação, ao contrário, exige das partes processuais que evidenciem concretude real ao deslinde de cada caso.

Isso porque os envolvidos, por vezes, são pessoas que estão envolvidas no ambiente académico, como principalmente ocorre com alunos que se recorrem às cópias ilícitas para apresentar em trabalhos avaliativos no sistema educacional al qual estão vinculados.

Neste local de ocorrência, consoante explicita Krokoscz, muitas são as condutas delitivas que se enquadram no crime de plágio, veja-se:

> Contudo, na área académica, se considera plágio um relatório de pesquisa entregue em nome de uma determinada pessoa para um professor, orientador, editor ou instituição, sem que eles saibam que tal trabalho foi feito por outra pessoa, diferente da indicada no trabalho. Da mesma forma se considera plágio (fraude) a compra de trabalhos académicos feitos por outros, e que são entregues como se tivessem sido redigidos por quem os está entregando. (KROKOSCZ, 2015, p.21).

É certo que o ambiente escolar é propício para a prática premeditada de tais condutas, uma vez que é o local onde mais se estimula, em regra, a cientificidade nas pesquisas e trabalhos repassados como meio de obtenção de quórum aprovativo.

Assim, tem-se em mente que o plágio, mesmo já esgotada sua conceituação, está configurado apenas quando diante de situação que envolva a vida académica do delituoso, porém, deve-se atentar que a utilização ilícita de cópias se concretiza crime independente da finalidade e local de ocorrência do crime em si.

O que se opera para a criminalização do plágio não é o objetivo pelo qual este foi utilizado, pois muitas pessoas podem utilizar-se desta conduta ilícita para qualquer meio que seja diferente de aspectos meramente acadêmicos.

Ainda, se observado bem, a criminalização limitada à finalidade pelo qual ocorreu o delito de plágio, bem como em que meio este se sucedeu, faria com que a impunidade acontecesse em diversos meios de ocorrência do plágio em ambientes não acadêmicos.

Ademais, Rizzato (2018) faz colocação acerca das características das ciências e normas jurídicas ao qual o universo do Direito faz parte, no sentido de observar que este, principalmente em questões que envolvem o poder-dever do Estado de punir, deve ser abstrato, isto é, deve num simples dispositivo legal regulamentador da conduta humana alcançar várias situações possíveis, sem limitação que beneficie à impunidade, se não veja-se:

> Não importa a formulação lógica da norma jurídica elaborada pela autoridade competente, que a aprovou. O que vale é o conteúdo intrínseco da norma, a sua natureza; o que a norma é em si mesma. E, nesse sentido, é claro que toda norma jurídica é uma ordem, uma prescrição.
>
> A norma jurídica em si é sempre prescritiva; a sua essência é sempre um "dever-ser". Não importa que, ao ser transposta para uma organização linguística e lógica, tal como escrita num Código ou numa lei qualquer, a forma apresentada como resultado final não mostre nitidamente esse "dever-ser". (RIZZATTO, 2018, p.247)

Com isso, embora seja preponderante a utilização de cópias ilícitas no meio acadêmico, vale ressaltar que a legislação não prioriza qualquer espaço ou veículo utilizado para tal conduta, mas tão somente a prática do elemento essencial do tipo e o conteúdo incrustado na norma jurídica que proíbe a prática de plágio, seja ele no meio acadêmico ou não.

Mais uma vez, é perceptível a multilateralidade do plágio, tanto no aspecto conceitual, como no meio em que se desenvolve e, ainda, por quem realiza tais cópias indevidas, revelando ser um objeto de estudo amplo e que denota necessidade de apontamento estratégico para que o estudo científico, diante de tantas características e possibilidades, consiga refletir e provocar reflexões acerca do plágio como crime.

Entretanto, não pode haver furto da verdade quando diante da necessidade de se afirmar que a maioria dos casos que envolvem o plágio como transgressor da produção científica ocorram no meio académico, como também concorda Krokoscz, se não veja-se:

> Assim, fica evidenciado que o plágio pode acontecer nas mais diversas áreas, contudo adquire uma especificidade na área académica, tornando-o um problema que extrapola o alcance da lei, configurando-o com uma complexidade que não se trata simplesmente de uma questão jurídica (...). (KROKOSCZ, 2015, p. 21)

Neste momento, calha aduzir que o presente estudo estará centrado no plágio académico cometido por alunos em detrimento da produção científica e sua relevância social, justamente por ser a regra maior de casos cotidianos incidentes e, mais especificamente ainda, os alunos da graduação que principalmente se utilizam de tal instrumento ilícito para apresentação do estimado trabalho final de conclusão do curso.

Nessa quadra, calha deveras necessário a explanação acerca de todos os envolvidos quando diante de situações delituosas que envolvam as cópias ilícitas, verificando, assim, os sujeitos que estão inseridos no submundo do plágio académico.

Normalmente, observa-se, de grosso modo ou sob um mero olhar sem profundidade, que o plágio envolve aquele que se utiliza deste meio delitivo e aquele que tem sua obra utilizada sem que haja os créditos para tanto, como se fosse inovação trazida por aquele que não lhe menciona.

Contudo, não obstante, vale observar uma reflexão realizada por Krokoscz ao dissertar sobre aqueles que estão envolvidos na teia do plágio académico, conforme se expõe:

Convencionalmente, o plágio é identificado quando envolve dois sujeitos: o responsável original pela obra (o autor) e a pessoa que o copia (o redator). Porém, no ambiente educacional a constituição de alguns tipos de plágio ocorre devido ao envolvimento de um terceiro sujeito que é aquele que recebe o conteúdo intelectual (o leitor). (KROKOSCZ, 2012, p.12).

Neste momento, com a supracitada menção autoral de Krokoscz, percebe-se o cerne de toda questão que norteia o contemporâneo trabalho, isto é, não se debate apenas a simples relação entre o plagiador e o autor não creditado, necessitando de uma análise mais profunda, uma análise mais social e integrada.

Desse modo, a relação do plágio atinge uma terceira pessoa (ou pessoas), afetando diretamente, conforme demonstrado, o leitor. O que representa o ponto principal do debate é justamente o destinatário da pesquisa científica eivada de plágio.

Isso porque quando estar-se-á de relação jurídica bilateral bem definida, pelo qual de um lado encontra-se o plagiador e de outro existe o autor não creditado, é muito fácil, se limitarmos os efeitos do plágio a isto, definir os prejuízos advindos pelo uso das cópias ilícitas.

Acontece que o leitor, que é o destinatário da pesquisa científica também existe nesta relação, e, ao contrário do que se pensa, é o maior prejudicado, tendo em vista que estará diante de obra totalmente maculada pelo plágio, sem motivo existencial algum, uma vez que em nada inova, mas apenas reproduz literalmente, sem contributo algum para a sociedade e para o meio científico.

> Portanto, o plágio no âmbito escolar e académico não pode simplesmente ser atribuído a um determinado sujeito e deve ser analisado considerando-se todos os envolvidos no processo de produção da escrita: o autor, o redator e o leitor. (KROKOSCZ, 2012, p. 14).

Importante se faz mencionar que não há, mais uma vez, a limitação de quem seja o leitor, tendo em vista, conforme já exposto, que pode ser um professor de uma disciplina, um orientador de um trabalho de conclusão de curso, um leitor na praça de uma revista, pessoas de um bairro, pessoas de uma cidade, estado ou país, ou de países, ou seja, não há como precisar matematicamente em números os leitores, sujeitos passivos, afetados por tal prática ilegal.

Além disso, insta salientar que nem tão somente o corpo discente, isto é, os alunos, da academia, são os únicos que se recorrem ao crime de plágio para desenvolvimento de eventual trabalho científico que se vejam deparadas, mas também os docentes/professores, muitas vezes, até mesmo para planejamento de aulas e avaliações se valem de conteúdo autoral sem validar devidamente os créditos a este, eivando-se, neste ponto, dentro do aspecto conceitual do plágio.

De forma insistente, mas que se faz importante concretizar, denota-se o crime de plágio, principalmente no meio académico, como um delito de condutas complexas, de resultados difusos, o que dificulta sua percepção legal e sua punição.

Todavia, vale dizer que mesmo ainda sendo difícil a categorização da conduta de utilizar-se de cópias ilícitas, tal tipo penal existe e pode surtir efeitos se assim for estimulado, conforme revela-se um objetivo motriz que sustenta a presente discussão.

Ainda, importante mencionar que nem sempre houve discussões a este respeito, uma vez que a legislação acerca de tais condutas ilícitas são deveras recentes e novas quando em comparação com a existência real do plágio, motivo pelo qual se passa a analisar, com objetivo de entendimento histórico-temporal acerca da temática.

1.2 O Contexto Histórico e Atual da Legislação Brasileira frente ao Plágio Académico e à Propriedade Intelectual

Conforme compreendido outrora acerca da delimitação do plágio enquanto conduta humana delituosa dentro do meio social, neste momento já sedimentado em redor do meio académico, passa-se a expor, diante do arcabouço pátrio e estrangeiro vigente, qual seja o ordenamento brasileiro e português, sem deixar de destacar tendências mundiais, o contexto temporal do tema em comento.

Tal perspectiva histórica se mostra necessária para o entendimento acerca da localização temporal de discussão acerca do plágio no Brasil, bem como em que momento a função social da propriedade não concreta, mas abstrata, intelectual, passou a ter valor de bem jurídico a ser tutelado.

Inicialmente, calha aduzir que a República Federativa do Brasil já está em sua sétima Constituição Federal, Lei maior que regula toda a atuação estatal limitada nos direitos e garantias fundamentais, pelo qual, atualmente vigora a Carta Magna de 1988.

Historicamente, referente aos direitos do autor e o combate ao crime de plágio, as Constituições brasileiras, diretamente, nunca fizeram menção a tais pontos de análise, tendo em vista o meio social ao qual os brasileiros estavam inseridos.

Vale dizer que o Brasil nem sempre foi um país que se preocupou sobre as produções científicas e sua possível relevância social. Todavia, a partir do momento que o estudo escolar evoluiu, majoritariamente, no meio social, para a academia, universidade ou faculdade, percebeu-se a necessidade de legislar sobre as regras académicas de produção empírica.

Nesse momento, mesmo que não diretamente ligado ao assunto de Plágio em si, merece destaque o surgimento da Associação Brasileira de Normas Técnicas em meados de 1940, mundialmente conhecida por ABNT, referente ao regulamento dos trabalhos científicos e tecnológicos no Brasil.

A ABNT constitui, até os dias atuais, em uma pessoa jurídica que revela-se como entidade sem qualquer fim lucrativo para suas atividades, porquanto sua existência está ligada inteiramente à regulação uniforme das técnicas de pesquisa, para que a linguagem utilizada nas produções científicas seja correlata às regras da Língua Portuguesa, bem como os instrumentos utilizados sejam reconhecidamente autoral e com os respectivos créditos para tanto.

É cediço que a ABNT é responsável por regulamentar, ademais, toda a estruturação de uma pesquisa científica, com fito de que a seriedade do trabalho aconteça em primeiro plano, sem que o pesquisador seja quem detenha de foco, mas sim o objeto de estudo, formatado e exposto de forma neutralizada e imparcial.

Assim, a ABNT, em suas normas técnico-regulamentadoras, dispõe de métodos pelo qual a pesquisa científica consista em trabalho balizado que inove no meio social, profissional e académico pelo qual está inserido, bem como por apresentar meios de se valer de trabalhos científicos que possuam a mesma temática ou alguma similitude com norteamento através das citações e referências.

Ao mesmo passo do surgimento da ABNT, que de alguma forma contempla o direito autoral e formas de evitar o plágio através das normas de citações e referências, o Código Penal Brasileiro, aprovado em 07 de dezembro de 1940, mesmo ano da referida Associação, criminaliza, em seu artigo 184 condutas transgressoras do direito autoral, intitulado o mencionado artigo de Crime de Violação de Direito Autoral, se não veja-se:

Art. 184. Violar direitos de autor e os que lhe são conexos:

Pena – detenção, de 3 (três) meses a 1 (um) ano, ou multa.

§ 1o Se a violação consistir em reprodução total ou parcial, com intuito de lucro direto ou indireto, por qualquer meio ou processo, de obra intelectual, interpretação, execução ou fonograma, sem autorização expressa do autor, do artista intérprete ou executante, do produtor, conforme o caso, ou de quem os represente:

Pena – reclusão, de 2 (dois) a 4 (quatro) anos, e multa.

§ 2o Na mesma pena do § 1o incorre quem, com o intuito de lucro direto ou indireto, distribui, vende, expõe à venda, aluga, introduz no País, adquire, oculta, tem em depósito, original ou cópia de obra intelectual ou fonograma reproduzido com violação do direito de autor, do direito de artista intérprete ou executante ou do direito do produtor de fonograma, ou, ainda, aluga original ou cópia de obra intelectual ou fonograma, sem a expressa autorização dos titulares dos direitos ou de quem os represente.

§ 3o Se a violação consistir no oferecimento ao público, mediante cabo, fibra ótica, satélite, ondas ou qualquer outro sistema que permita ao usuário realizar a seleção da obra ou produção para recebê-la em um tempo e lugar previamente determinados por quem formula a demanda, com intuito de lucro, direto ou indireto, sem autorização expressa, conforme o caso, do autor, do artista intérprete ou executante, do produtor de fonograma, ou de quem os represente:

Pena – reclusão, de 2 (dois) a 4 (quatro) anos, e multa.

§ 4o O disposto nos §§ 1o, 2o e 3o não se aplica quando se tratar de exceção ou limitação ao direito de autor ou os que lhe são conexos, em conformidade com o previsto na Lei nº 9.610, de 19 de fevereiro de 1998, nem a cópia de obra intelectual ou fonograma, em um só exemplar, para uso privado do copista, sem intuito de lucro direto ou indireto. (BRASIL, 1940).

Conforme se depreende da leitura do tipo penal brasileiro, percebe-se que o direito autoral é o bem juridicamente protegido e, mais profundamente, conforme disserta Maggio:

O objeto jurídico do crime de violação de direito autoral é a propriedade imaterial (ou intelectual), no sentido de proteger o interesse moral e econômico do autor de obra literária, artística ou científica. Objeto material é a coisa sobre a qual recai a conduta criminosa do agente, ou seja, é a obra literária, artística ou científica. (MAGGIO, 2012).

Coadunando com tal pensamento, Cunha aduz que fica:

(...) garantido ao autor o direito à paternidade da obra, bem como dela retirar os benefícios pecuniários advindos da sua reprodução, representação, execução, recitação, adaptação, transposição, arranjos, dramatização, tradução e radiodifusão. (CUNHA, 2010, p.220)

Insta salientar, entretanto, que a norma penal supramencionada não impõe a expressão "plágio" como norte incriminador, sendo apenas um artigo que aborde, também, o delito de se utilizar de cópias ilícitas e o combate à invasão da propriedade intelectual.

Desse modo, percebe-se que a propriedade imaterial, mesmo na década de 1940, já era pressuposto cuja importância se revela pela tipificação penal acerca de sua eventual transgressão, mesmo diante de sociedade que não cometia, quanto ocorre nos dias atuais, a prática de cópias ilícitas, bem como quaisquer outra transgressão do direito autoral.

Anteriormente a tal postulado de cunho penalista não havia norma incriminadora acerca da conduta atualmente delitiva de utilizar-se de obra alheia como se sua fosse, fazendo com que, historicamente e socialmente, comportamentos desse tipo beirasse o mundo da impunidade, isto é, sem qualquer punição legal.

Nesta senda, vale dizer que a impunidade ocorria pois desde sua publicação, o Código Penal Brasileiro, atento às tendências mundiais de observância dos direitos humanos, dispõe logo em seu artigo 1º que: Não há crime sem lei anterior que o defina. Não há pena sem prévia cominação legal (BRASIL, 1940).

Dessa forma, as condutas contemporaneamente ilícitas acerca do plágio, anteriormente ao ano de 1940, com advento do Código Penal Brasileiro, não eram nem poderiam ser punidas por força do macro princípio da Legalidade e Anterioridade Penal previsto no supracitado dispositivo legal.

É fato que tal conotação criminosa para a prática de utilizar-se de cópias ilícitas tem como objetivo principal a sanção de condutas antes não ilícitas, assim como a prevenção por receio de punição estatal.

Entretanto, se observado minimamente, é possível verificar que a penalidade do presente crime é ínfima perto dos prejuízos ocasionados com o plágio, tendo em vista que, muito dificilmente, no Brasil, o delinquente realmente sofra punição efetiva.

Isso porque, conforme está disposto no artigo 44 do Código Penal Brasileiro, é mais que possível, consiste em obrigação do Juiz criminal a transmutação da pena privativa de liberdade em pena restritiva de direito, consoante o que se expõe:

Art. 44. **As penas restritivas de direitos são autônomas e substituem as privativas de liberdade, quando: I - aplicada pena privativa de liberdade não superior a quatro anos e o crime não for cometido com violência ou grave ameaça à pessoa** ou, qualquer que seja a pena aplicada, se o crime for culposo; **II - o réu não for reincidente em crime doloso; III - a culpabilidade, os antecedentes, a conduta social e a personalidade do condenado, bem como os motivos e as circunstâncias indicarem que essa substituição seja suficiente.** § 1o (VETADO) § 2o **Na condenação igual ou inferior a um ano, a substituição pode ser feita por multa ou por uma pena restritiva de direitos**; se superior a um ano, a pena privativa de liberdade pode ser substituída por uma pena restritiva de direitos e multa ou por duas restritivas de direitos. § 3o Se o condenado for reincidente, o juiz poderá aplicar a substituição, desde que, em face de condenação anterior, a medida seja socialmente recomendável e a reincidência não se tenha operado em virtude da prática do mesmo crime. § 4o A pena restritiva de direitos converte-se em privativa de liberdade quando ocorrer o descumprimento injustificado da restrição imposta. No cálculo da pena privativa de liberdade a executar será deduzido o tempo cumprido da pena restritiva de direitos, respeitado o saldo mínimo de trinta dias de detenção ou reclusão. § 5o Sobrevindo condenação a pena privativa de liberdade, por outro crime, o juiz da execução penal decidirá sobre a conversão, podendo deixar de aplicá-la se for possível ao condenado cumprir a pena substitutiva anterior. (BRASIL, 1940, grifo nosso).

Conforme se depreende do supracitado artigo penalista que trata das conversão da pena privativa de liberdade em restritiva de direito, percebe-se que aquele que pratica o plágio, consoante a pena de seis meses a um ano prevista no caput do artigo 184 do Código Penal Brasileiro, não será inclinado a cumprir a pena de forma mais rigorosa.

Ademais, vale ilustrar outra possibilidade que ainda abranda mais a situação que envolve o plágio académico, qual seja a possibilidade de Transação Penal para os crimes de menor potencial ofensivo, isto é, aqueles que possuem penalidade inferior ao montante de 2 anos.

Habib (2016, p.304) aduz que, "com efeito, a transação penal é uma medida despenalizadora que visa a evitar o processo", ou seja, o doutrinador expõe justamente a real satisfação de tal instituto jurídico-processual.

A referida possibilidade de transação penal está prevista no artigo 76 da Lei número 9.099/1995, se não veja-se:

> Art. 76. Havendo representação ou tratando-se de crime de ação penal pública incondicionada, não sendo caso de arquivamento, o **Ministério Público poderá propor a aplicação imediata de pena restritiva de direitos ou multas, a ser especificada na proposta.**
>
> § 1° Nas hipóteses de ser a pena de multa a única aplicável, o Juiz poderá reduzi-la até a metade.
>
> § 2° Não se admitirá a proposta se ficar comprovado:
>
> I - ter sido o autor da infração condenado, pela prática de crime, à pena privativa de liberdade, por sentença definitiva;
>
> II - ter sido o agente beneficiado anteriormente, no prazo de cinco anos, pela aplicação de pena restritiva ou multa, nos termos deste artigo;
>
> III - não indicarem os antecedentes, a conduta social e a personalidade do agente, bem como os motivos e as circunstâncias, ser necessária e suficiente a adoção da medida.
>
> § 3° **Aceita a proposta pelo autor da infração e seu defensor, será submetida à apreciação do Juiz.**

§ 4º **Acolhendo a proposta do Ministério Público aceita pelo autor da infração, o Juiz aplicará a pena restritiva de direitos ou multa, que não importará em reincidência**, sendo registrada apenas para impedir novamente o mesmo benefício no prazo de cinco anos.

§ 5º Da sentença prevista no parágrafo anterior caberá a apelação referida no art. 82 desta Lei.

§ 6º A imposição da sanção de que trata o § 4º deste artigo não constará de certidão de antecedentes criminais, salvo para os fins previstos no mesmo dispositivo, e não terá efeitos civis, cabendo aos interessados propor ação cabível no juízo cível. (BRASIL, 1995, grifo nosso)

O que se conclui com tais postulados é que o crime de plágio, no meio académico, obedecendo a regra do caput do artigo 184 do Código Penal Brasileiro, é considerado crime de menor potencial ofensivo, motivo pelo qual, de acordo com o que foi exposto, merece transação penal e direta aplicação de penas restritivas de direito.

Se observado, de acordo com o parágrafo terceiro do artigo 76 da Lei nº 9.099/95, o instituto da transação penal ainda demonstra que aquele que cometer qualquer crime de menor potencial ofensivo, conforme se enquadra o plágio académico, não será considerado aferição de crime tendo em vista que este será extinto para que não entre na contagem de futura eventual reincidência.

O que se quer dizer é que o cometimento do plágio, por si só, atendendo ao tipo legal do caput do artigo 184 do Código Penal Brasileiro, será desconsiderado como crime para efeitos de contagem de reincidência, ou seja, caso este indivíduo possua o comportamento delituoso de copiar ilicitamente uma obra e for alvo de transação penal, caso venha a cometer qualquer outro crime, será considerado réu primário, recebendo, inclusive, tratamento diferenciado na oportunidade da dosimetria da pena, no momento de se observar as circunstâncias judiciais previstas no artigo 59 do Código Penal Brasileiro.

O artigo 59 do Código Penal Brasileiro bem ilustra a circunstância benéfica para diminuir a pena-base supramencionada, conforme se calha observar:

> Art. 59 - **O juiz, atendendo** à culpabilidade, **aos antecedentes**, à conduta social, à personalidade do agente, aos motivos, às circunstâncias e conseqüências do crime, bem como ao comportamento da vítima, **estabelecerá, conforme seja necessário e suficiente para reprovação e prevenção do crime:**
> **I - as penas aplicáveis dentre as cominadas;**
> II - a quantidade de pena aplicável, dentro dos limites previstos;
> III - o regime inicial de cumprimento da pena privativa de liberdade;
> IV - a substituição da pena privativa da liberdade aplicada, por outra espécie de pena, se cabível. (BRASIL, 1940, grifo nosso)

Tal premissa revela a ausência da reprovabilidade real por parte do uso de cópias ilícitas, uma vez que, conforme já exposto outrora, o sujeito passivo não é somente o autor, que muitas vezes nem imagina que sua obra está sendo utilizada sem que seu nome como criador paterno desta seja mencionado, o elemento passivo é universal, ponto que faz com que não se individualize, ao certo, quem é atingido com tais condutas delituosas.

A título de comparação, o mesmo ocorre quando está em questão os crimes ambientais, que por atingirem pessoas de forma difusa, isto é, transcendental, faz com que as penas terminem por ser mais brandas, o que, assim como ocorre com o crime de plágio, não merecia prosperar, pois o resultado material de tais crimes ignorados causam enormes prejuízos sociais.

Desse modo, a transcendentalidade do crime de plágio faz com que o mesmo exista no mundo jurídico penal no Brasil, mas sua elucidação e individualização no caso concreto ou não ocorra por passar despercebido ou, quando percebido, não haja punição real, tendo em vista a brandura da legislação criminal que subverte esta temática.

Todavia, buscando revelar também pontos positivos da legislação brasileira, vale mencionar que o Brasil possui muitos instrumentos normativos que regulam direta e indiretamente a matéria, seja traçando direitos e deveres a serem observados pelos indivíduos, como também expõe institutos não bem trabalhados no ambiente penalista, como a noção de autoria e originalidade.

Neste intervalo, vale dizer que ainda existem outras legislações ordinárias esparsas que compõem o macro arcabouço jurídico que ronda sob o plágio, qual seja a Lei número 9.610/1998, intitulada Lei dos Direitos Autorais; a Lei número 12.965/2014, intitulada o Marco Civil da Internet.

Sob uma primeira análise calha verificar a importância da delimitação e categorização jurídico-social acerca dos Direitos Autorais no Brasil, uma vez que tal direito corresponde a estreita relação de direito público ligado ao Direito Constitucional e direito privado ligado ao Direito Civil.

Essa ligação concreta ronda o plágio que tocam à propriedade imaterial ou intelectual, como direito fundamental dos indivíduos, sendo assim categorizada como forma de tutela da garantia da originalidade autoral.

Neste ínterim, a Lei dos Direitos Autorais (Lei 9.610/98) traz logo em seu artigo 7º, inciso primeiro que "são obras intelectuais protegidas as criações do espírito, expressas por qualquer meio ou fixadas em qualquer suporte, tangível ou intangível, conhecido ou que se invente no futuro, tais como: I – os textos de obras literárias, artísticas ou científicas" (BRASIL, 1998).

Assim, indubitavelmente e de forma sedimentada, o plágio acadêmico atenta contra o direito autoral, tendo em vista que reproduz texto de obra científica aduzindo originalidade que não corresponde com a verdade dos fatos, mas apenas meio de utilização de cópia ilícita como meio de, supostamente, apresentar trabalho científico para determinada finalidade que contrapõe à legalidade.

Ainda, os artigos 22 e 24 da Lei nº 9.610/98 aduz que são direitos do autor:

> **Art. 22. Pertencem ao autor os direitos morais e patrimoniais sobre a obra que criou.**
> (...)
> Art. 24. **São direitos morais do autor:**
> **I - o de reivindicar, a qualquer tempo, a autoria da obra;**
> **II - o de ter seu nome, pseudônimo ou sinal convencional indicado ou anunciado, como sendo o do autor, na utilização de sua obra;**
> III - o de conservar a obra inédita;
> IV - o de assegurar a integridade da obra, opondo-se a quaisquer modificações ou à prática de atos que, de qualquer forma, possam prejudicá-la ou atingi-lo, como autor, em sua reputação ou honra;
> V - o de modificar a obra, antes ou depois de utilizada;
> VI - o de retirar de circulação a obra ou de suspender qualquer forma de utilização já autorizada, quando a circulação ou utilização implicarem afronta à sua reputação e imagem;
> VII - o de ter acesso a exemplar único e raro da obra, quando se encontre legitimamente em poder de outrem, para o fim de, por meio de processo fotográfico ou assemelhado, ou audiovisual, preservar sua memória, de forma que cause o menor inconveniente possível a seu detentor, que, em todo caso, será indenizado de qualquer dano ou prejuízo que lhe seja causado. (BRASIL, 1998, grifo nosso).

Com isso, verifica-se que a legislação autoral brasileira constitui uma série de direitos para aquele que é autor de texto de obras científicas, conforme se expõe na presente ligação temática, momento pelo qual tal possuidor de propriedade intelectual pode se valer de tal proteção para requisitar a autoria quando diante de situação controversa e, também, aquela que envolve a prática do plágio acadêmico.

Para tanto, caso haja a transgressão, mesmo que já tipificado penalmente conforme já ilustrado no artigo 184 do Código Penal Brasileiro, nada impede o ajuizamento de demanda cível para obtenção de sanção civil, como bem oportuniza o artigo 102 da Lei 9.610/98, de acordo com o que se demonstra:

> Art. 102. O titular cuja obra seja fraudulentamente reproduzida, divulgada ou de qualquer forma utilizada, poderá requerer a apreensão dos exemplares reproduzidos ou a suspensão da divulgação, sem prejuízo da indenização cabível. (BRASIL, 1998).

Desse modo, a Lei dos Direitos Autorais, de número 9.610/98, repercute tais contributos que contrapõem a prática de plágio, definindo o direito autoral como direito subjetivo de todo e qualquer autor, bem como desenhando a possibilidade de reparação material ou moral por eventuais transgressões ao seu direito de crédito em suas obras.

Além disso, calha observar que esta própria legislação trabalha as hipóteses em que o direito autoral deve ser relativizado e o artigo 184 do Código Penal Brasileiro não deverá incidir-se ao caso, se não veja-se com a apreciação dos artigos 46, 47 e 48 da Lei 9.610/98:

> Art. 46. Não constitui ofensa aos direitos autorais:
> I - a reprodução:
> a) na imprensa diária ou periódica, de notícia ou de artigo informativo, publicado em diários ou periódicos, com a menção do nome do autor, se assinados, e da publicação de onde foram transcritos;
> b) em diários ou periódicos, de discursos pronunciados em reuniões públicas de qualquer natureza;
> c) de retratos, ou de outra forma de representação da imagem, feitos sob encomenda, quando realizada pelo proprietário do objeto encomendado, não havendo a oposição da pessoa neles representada ou de seus herdeiros;
> d) de obras literárias, artísticas ou científicas, para uso exclusivo de deficientes visuais, sempre que a reprodução, sem fins comerciais, seja feita mediante o sistema Braille ou outro procedimento em qualquer suporte para esses destinatários;

II - a reprodução, em um só exemplar de pequenos trechos, para uso privado do copista, desde que feita por este, sem intuito de lucro;

III - **a citação em livros, jornais, revistas ou qualquer outro meio de comunicação, de passagens de qualquer obra, para fins de estudo, crítica ou polêmica, na medida justificada para o fim a atingir, indicando-se o nome do autor e a origem da obra;**

IV - o apanhado de lições em estabelecimentos de ensino por aqueles a quem elas se dirigem, vedada sua publicação, integral ou parcial, sem autorização prévia e expressa de quem as ministrou;

V - a utilização de obras literárias, artísticas ou científicas, fonogramas e transmissão de rádio e televisão em estabelecimentos comerciais, exclusivamente para demonstração à clientela, desde que esses estabelecimentos comercializem os suportes ou equipamentos que permitam a sua utilização;

VI - a representação teatral e a execução musical, quando realizadas no recesso familiar ou, para fins exclusivamente didáticos, nos estabelecimentos de ensino, não havendo em qualquer caso intuito de lucro;

VII - a utilização de obras literárias, artísticas ou científicas para produzir prova judiciária ou administrativa;

VIII - a reprodução, em quaisquer obras, de pequenos trechos de obras preexistentes, de qualquer natureza, ou de obra integral, quando de artes plásticas, sempre que a reprodução em si não seja o objetivo principal da obra nova e que não prejudique a exploração normal da obra reproduzida nem cause um prejuízo injustificado aos legítimos interesses dos autores.

Art. 47. São livres as paráfrases e paródias que não forem verdadeiras reproduções da obra originária nem lhe implicarem descrédito.

Art. 48. As obras situadas permanentemente em logradouros públicos podem ser representadas livremente, por meio de pinturas, desenhos, fotografias e procedimentos audiovisuais. (BRASIL, 1998, grifo nosso)

42

Assim, vale observar que nem tudo pode ser considerado como ofensa ao direito autoral, bem como nem toda reprodução, quando lícita, será considerada plágio.

Apoiando-se em postulado de Krokoscz (2012) verifica-se que nem tudo é plágio, conforme expõe ao dizer:

> Note, portanto, que a possibilidade de que aquilo que é escrito espontaneamente, por mais óbvio que pareça, dificilmente coincide literalmente com outro texto. Sendo assim, é muito difícil de se cometer plágio direto, ou seja, reproduzir literalmente o que já tenha sido escrito por outra pessoa.
>
> Mas, ainda que não ocorra coincidência literal entre um texto que é escrito de forma espontânea, como ter certeza de não cometer plágio indireto, isto é, de tratar de um assunto da mesma maneira que um outro autor já tenha falado sobre isso? Por exemplo, isso pode facilmente acontecer quando se faz uma redação, se escreve em um blog, ao elaborar um relatório ou redigir um ensaio etc. (KROKOSCZ, 2012, p. 94)

Noutro prisma, mas também intimamente ligado à temática, a Lei número 12.965/2014, socialmente denominada de Marco Civil da Internet, traz a rede cibernética como alvo de elucidação e individualização.

Lago e Tramarim (2016) exploram a importância do Marco Civil da Internet ao expor que:

> Veja que o legislador teve grande preocupação em garantir direitos e deveres dos usuários e provedores, sejam eles de serviços, sejam de conexão, e definir a participação dos provedores em caso de publicações de conteúdos ofensivos, fixando os limites de cada pessoa na fixação da responsabilidade civil por tais conteúdos.
>
> Diante de todo o exposto, pode-se concluir que o Marco Civil da Internet representa um avanço no trato jurídico das relações derivadas do uso da rede mundial, ao definir a questão quanto ao momento de manifestação do provedor e a definição da responsabilidade civil destes provedores (...) (LAGO; TRAMARIM, 2016, p. 150 – 151)

43

Como se pode notar, trata-se de normatização bastante recente que demonstra a preocupação constante do legislador com a temática das obras científicas e sua relação com o meio cibernético, uma vez que a internet fosse objeto motriz da globalização, fazendo com que o crime de plágio no meio académico se dê justamente pela facilidade virtual.

Desse modo, não restou outra alternativa à respectiva legislação senão expor os princípios norteadores do uso do meio virtual e o dever de seu uso consciente, conforme se verifica:

Art. 2º A disciplina do uso da internet no Brasil tem como fundamento o respeito à liberdade de expressão, bem como:

I - o reconhecimento da escala mundial da rede;

II - **os direitos humanos, o desenvolvimento da personalidade e o exercício da cidadania em meios digitais;**

III - a pluralidade e a diversidade;

IV - a abertura e a colaboração;

V - **a livre iniciativa, a livre concorrência** e a defesa do consumidor; e

VI - **a finalidade social da rede.**

Art. 3º A disciplina do uso da internet no Brasil tem os seguintes princípios:

I - garantia da liberdade de expressão, comunicação e manifestação de pensamento, nos termos da Constituição Federal;

II - proteção da privacidade;

III - proteção dos dados pessoais, na forma da lei;

IV - preservação e garantia da neutralidade de rede;

V - preservação da estabilidade, segurança e funcionalidade da rede, por meio de medidas técnicas compatíveis com os padrões internacionais e pelo estímulo ao uso de boas práticas;

VI - responsabilização dos agentes de acordo com suas atividades, nos termos da lei;

VII - preservação da natureza participativa da rede;

VIII - liberdade dos modelos de negócios promovidos na internet, desde que não conflitem com os demais princípios estabelecidos nesta Lei.

Parágrafo único. Os princípios expressos nesta Lei não excluem outros previstos no ordenamento jurídico pátrio relacionados à matéria ou nos tratados internacionais em que a República Federativa do Brasil seja parte.

Art. 4º A disciplina do uso da internet no Brasil tem por objetivo a promoção:
I - **do direito de acesso à internet a todos**;
II - do acesso à informação, ao conhecimento e à participação na vida cultural e na condução dos assuntos públicos;
III - **da inovação e do fomento à ampla difusão de novas tecnologias e modelos de uso e acesso**; e
IV - da adesão a padrões tecnológicos abertos que permitam a comunicação, a acessibilidade e a interoperabilidade entre aplicações e bases de dados. (BRASIL, 2014, grifo nosso).

Desta feita, o Marco Civil da Internet, mesmo que advindo de forma atrasada, quando a internet surge bem antes de 2014, ano da regulamentação legal da temática, produz importantes princípios basilares para atuação da rede virtual, qual seja o respeito aos direitos humanos, sendo o direito autoral intrínseco a estes, bem como o princípio da finalidade social da rede cibernética, denotando, ainda, a participação Estatal na rede virtual.

Assim, a internet deve ser instrumento de utilização para desenvolvimento do ser humano e de suas necessidades, diferentemente do que ocorrer, como meio ocasional ou não de prática de comportamentos delituosos.

Além de tais legislações ordinárias, que contribuem significativamente como postulados que insurgem-se contrariamente à prática da contrafação ou utilização de cópias ilícitas, calha demonstrar que a Constituição Federal da República Brasileira também protege o direito autoral e o corresponde, ainda, assim como o Marco Civil da Internet, a direito fundamental dos indivíduos.

A Constituição Federal Brasileira, em seu artigo 5º, que trata dos direitos e garantias fundamentais, prescreve, no seu inciso XXVII (vinte e sete), conforme se expõe:

45

Art. 5º Todos são iguais perante a lei sem distinção de qualquer natureza, garantindo-se aos brasileiros e aos estrangeiros residentes no país a inviolabilidade do direito à vida, à liberdade, à igualdade, à segurança e à propriedade, nos termos seguintes:

(...)

XXVII - aos autores pertence o direito exclusivo de utilização, publicação ou reprodução de suas obras, transmissível aos herdeiros pelo tempo que a lei fixar (...). (BRASIL, 1988)

A Lei Maior do ordenamento jurídico brasileiro prevê o direito autoral como direito subjetivo fundamental, permitindo que, diante de eventuais violações, inclusive pela crime de plágio, o autor venha a se valer do direito de reparação em casos de possíveis danos.

Ademais, diante da natureza pública da Constituição Federal e coadunando com que já fora exposto outrora, o direito do autor é preservado, mas também o de toda coletividade, pois sob o direito à propriedade intelectual recai o dever de função social.

Sob esta esteira funda-se o pesquisador e doutrinador Ariente, se não veja-se:

Assim, no sentido que aqui empregamos, função social afasta o caráter "natural", "divino", "incondicional" ou "absoluto" de qualquer tipo de propriedade ou riqueza – seja ela fundiária, urbana, material, imaterial. Veda-se, há muito tempo, qualquer funcionalização da propriedade que encontre caráter eminentemente individualista ou egoístico.

Ao revés, na situação em estudo, os direitos exclusivos decorrentes da propriedade intelectual devem proporcionar a maior quantidade possível de conhecimento humano aberto e acessível à coletividade, através dos quais oportunidades de renda e de desenvolvimento inelutavelmente surgirão. Como já referido, algumas condicionantes sociais e administrativas, que incidam sobre os poderes de uso, gozo e disposição são ínsitas da própria estrutura da propriedade e demais formas de riqueza.

(...)

Disso decorre que uma interpretação constitucional adequada sobre a propriedade intelectual deve necessariamente considerar os princípios da independência nacional, dignidade humana, direito ao acesso à cultura, desenvolvimento científico e tecnológico do país. (ARIENTE, 2015, p.80-81).

Desse modo, percebe-se que o plágio como prática delituosa delineada em tipo penal próprio atenta contra a dignidade humana do autor, referente ao direito autoral como direito subjetivo fundamental, assim como atenta contra a propriedade intelectual e sua função social, não contribuindo, através da cientificidade, para o desenvolvimento social, econômico e tecnológico do país.

Assim, Ariente, concluindo seu raciocínio acerca da necessária imputação de função social à propriedade imaterial, aduz que:

Ainda que não haja na previsão constitucional dos direitos de autor uma missão explícita específica de promover o desenvolvimento econômico e cultural do país, inexistem dúvidas que se faz necessário o atendimento de uma função social. Qualquer forma de patrimônio ou riqueza devem observar as necessárias condicionantes sociais em favor do bem comum. (ARIENTE, 2015, p. 91)

Sedimentada a imperiosa importância da efetivação da função social da propriedade intelectual, calha verificar o patrimônio imaterial em discípulo-mor do direito privado, qual seja no Código Civil, que traz muitos enunciados contributivos que firmam o entendimento aqui vergastado de que o plágio atenta contra direito e contribuição social que tal direito alcançaria se fosse licitamente utilizado.

Nesta passagem, é necessário concretizar que a propriedade intelectual que constitui o bem jurídico tutelado diante da criminalização do plágio, é um direito fundamental ligado a outro direito da personalidade, qual seja a criação intelectual.

Tal afirmação se faz apoiada no que dispõe Farias e Rosenvald acerca do direito da personalidade ligado à integridade intelectual:

Os direitos da personalidade no âmbito intelectual designam-se à proteção conferida ao elemento criativo, típico da inteligência

47

humana. São as criações, as manifestações do intelecto, como a liberdade de pensamento e o direito ao invento, além do contundente exemplo do direito autoral (regulamentado pela Lei n° 9.610/98).

Trata-se de proteção jurídica às obras de inteligência do homem, garantindo ao autor o direito de livremente publicar (...) (FARIAS; ROSENVALD, 2013, p. 268).

Dessa forma, no mundo civilista brasileiro, a propriedade imaterial consubstancia-se do próprio exercício de um direito da personalidade de qualquer cidadão, qual seja o da criação intelectual, que merece proteção justamente, conforme já exposto alhures, por ser eivado do dever de prestar função social, ou seja, deve a inovação humana produzir efeitos para toda a coletividade.

De acordo com o exposto, percebe-se a vasta variedade legislativa brasileira que trata do plágio de forma direta, seja lhe imputando no rol de condutas incriminadoras, ou seja indiretamente, respaldando o direito fundamental do autor, da propriedade intelectual e sua função social.

É cediço que a lei por si só é ineficaz, porquanto é necessário a conscientização social de tais postulados para que os regramentos legislativos possam provocar resultados às suas finalidades legais. O que se quer dizer é que a simples penalização do plágio ou simples conotação fundamental para o direito autoral, não faz com que o crime de plágio deixe de existir ou pelo menos diminua sua incidência.

Ao contrário, a lei, principalmente quando se trata da lei penal, deve ser última instância para se valer como combate efetivo contra a utilização de cópias de forma ilícita, uma vez que a conscientização social e, dentro da discussão desta temática, académica, uma vez que os estudantes na academia devem ter pensamentos coletivos, com fito de que sua atuação científica contribua para o desenvolvimento do meio ao qual está inserido, sendo, assim, agente transformador.

Passa-se, neste momento, após esgotar a temática do plágio com base nas legislações brasileiras, a observar reflexivamente, e tentando estabelecer paralelos, a legislação portuguesa correlata ao presente crime de plágio, direito autoral propriedade imaterial e função social da propriedade intelectual.

1.3 Legislação Portuguesa Correlata sobre o Plágio e Direito Autoral

O Direito Português, considerado mundialmente inovador quando em destaque os direitos autorais e o combate efetivo à sua violação, merece destaque na contemporânea pesquisa científica, uma vez que a referida pátria, através deste objeto de estudo, também pode ser alvo e perceber reflexões críticas a respeito da temática levantada do combate ao plágio.

Assim, neste momento, será dado enfoque ao Código de Direito do Autor e Direitos Conexos de Portugal, referente à alteração provocada pela Lei nº 16/2008, de 01 de abril, que consegue esgotar a temática tanto no aspecto material do direito autoral, quanto no aspecto sancionador de condutas transgressoras.

Nesta quadra, vale indicar o bem jurídico diretamente protegido pela referida legislação portuguesa, conforme expõe o Capítulo I intitulado "Da Obra Protegida" em seu artigo 1º e 2º o que se passa a ilustrar:

ARTIGO 1º Definição

1 – **Consideram-se obras as criações intelectuais do domínio literário, científico e artístico, por qualquer modo exteriorizadas, que, como tais, são protegidas nos termos deste Código, incluindo-se nessa protecção os direitos dos respectivos autores.**

2 – As ideias, os processos, os sistemas, os métodos operacionais, os conceitos, os princípios ou as descobertas não são, por si só e enquanto tais, protegidos nos termos deste Código.

3 – Para os efeitos do disposto neste Código, **a obra é independente da sua divulgação, publicação, utilização ou exploração.**

ARTIGO 2º Obras originais
1 – **As criações intelectuais do domínio literário, científico e artístico, quaisquer que sejam o género, a forma de expressão, o mérito, o modo de comunicação e o objectivo, compreendem nomeadamente:**
a) **Livros, folhetos, revistas, jornais e outros escritos;**
b) Obras dramáticas e dramático-musicais e a sua encenação;
c) Conferências, lições, alocuções e sermões;
d) Obras coreográficas e pantominas, cuja expressão se fixa por escrito ou por qualquer outra forma;
e) Composições musicais, com ou sem palavras;
f) Obras cinematográficas, televisivas, fonográfica, videográfica e radiofónicas;
g) Obras de desenho, tapeçaria, pintura, escultura, cerâmica, azulejo, gravura, litografia e arquitectura;
h) Obras fotográficas ou produzidas por qualquer processo análogos aos da fotografia;
i) Obras de arte aplicadas, desenho ou modelos industriais e obras de design que constituam criação artística, independentemente da protecção relativa à propriedade industrial;
j) Ilustrações e cartas geográficas;
l) Projectos, esboços e obras plásticas respeitantes à arquitectura, ao urbanismo, à geografia ou às outras ciências;
m) Lemas ou divisas, ainda que de carácter publicitário, se se revestirem de originalidade;
n) Paródias e outras composições literárias ou musicais, ainda que inspiradas num tema ou motivo de outra obra. (PORTUGAL, 2008, grifo nosso)

Consoante os artigos supracitados, observado os grifos realizados de forma premeditada, inclina-se algumas reflexões ao acerto português ao abarcar inúmeros conteúdos que representam a materialidade do direito autoral.

Neste diapasão, percebe-se a profundidade legislativa do tipo português ao precisar minuciosamente exemplos de obras que coadunam o direito subjetivo autoral, porquanto diante da temática em voga, o plágio académico, demonstre conotação jurídico-legal às produções de cunho científico qualquer que seja sua exposição, mediante livros, folhetos, jornais, trabalhos científicos, sendo mero detalhe a forma de exteriorização dessa paternidade criativa.

Ademais, percebe-se, mediante foco preciso no artigo 1°, no seu item 3, que a obra, qualquer que seja ela, conforme já exposto, não necessita de publicação para que recaia sobre si proteção do ordenamento jurídico acerca do direito autoral.

Além deste supracitado artigo, o Código do Direito do Autor e Direitos Conexos ainda expõe de maneira mais direta e individualizada tal pressuposto de garantia jurisdicional ao direito da autoria no seu artigo 12°, da forma que segue:

> Artigo 12.°
> Reconhecimento do direito de autor
> O direito de autor **é reconhecido independentemente de registo**, depósito ou qualquer outra formalidade. (PORTUGAL, 2008, grifo nosso).

Tal passagem, do mesmo modo que ocorre no Brasil, demonstra que o registro ou depósito autoral é prescindível para a proteção jurídica da obra, o que se mostra deveras contemplativo da macro significância deste direito subjetivo, abordando, ainda, situações de obras que muitas vezes ainda não foram registradas.

Ademais, o referido Código Português cuida de disciplinar aquele que será chamado de pai da obra, isto é, o alvo da salvaguarda do direito autoral, conforme está explicitado no artigo 27:

> Artigo 27.°
> Paternidade da obra
> 1 — Salvo disposição em contrário, autor é o criador intelectual da obra.
> 2 — Presume -se autor aquele cujo nome tiver sido indicado como tal na obra, conforme o uso consagrado, ou anunciado em qualquer forma de utilização ou comunicação ao público.

51

3 — Salvo disposição em contrário, a referência ao autor abrange o sucessor e o transmissário dos respectivos direitos. (PORTUGAL, 2008)

Percebe-se, mais uma vez, o envolvimento legislativo português ao se voltar como o dono da obra como aquele que presumidamente se demonstre como tal, não impondo embaraços e aspectos burocráticos para tal reconhecimento, mostrando-se, mais uma vez, a profundidade da busca de tutelar o direito autoral contra transgressões que venham a ocorrer, como se molda o plágio académico neste intervalo.

Voltando-se ao crime de plágio, isto é, utilização indevida de cópias, consideradas ilícitas, mediante ausência de menção creditícia ao autor da obra original, o supramencionado Código Português prevê a categorização individualização da conduta que representa esta transgressão.

Tal passagem que denota um tipo penal incriminador está presente nos artigos 195 e 196 do Código do Direito do Autor e Direitos Conexos, se não veja-se:

Artigo 195°
Usurpação
1 - **Comete o crime de usurpação quem, sem autorização do autor ou do artista, do produtor de fonograma e videograma ou do organismo de radiodifusão, utilizar uma obra ou prestação por qualquer das formas previstas neste Código.**
2 - Comete também o crime de usurpação:
a) Quem divulgar ou publicar abusivamente uma obra ainda não divulgada nem publicada pelo seu autor ou não destinada a divulgação ou publicação, mesmo que a apresente como sendo do respectivo autor, quer se proponha ou não obter qualquer vantagem económica;
 b) Quem coligir ou compilar obras publicadas ou inéditas sem a autorização do autor;
 c) Quem, estando autorizado a utilizar uma obra, prestação de artista, fonograma, videograma ou emissão radiodifundida, exceder os limites da autorização concedida, salvo nos casos expressamente previstos neste Código.

3 - Será punido com as penas previstas no artigo 197.º o autor que, tendo transmitido, total ou parcialmente, os respectivos direitos ou tendo autorizado a utilização da sua obra por qualquer dos modos previstos neste Código, a utilizar directa ou indirectamente com ofensa dos direitos atribuídos a outrem.

Artigo 196.º
Contrafacção
1 — **Comete o crime de contrafacção quem utilizar, como sendo criação ou prestação sua, obra,** prestação de artista, fonograma, videograma ou emissão de radiodifusão **que seja mera reprodução total ou parcial de obra ou prestação alheia, divulgada ou não divulgada, ou por tal modo semelhante que não tenha individualidade própria.**
2 — Se a reprodução referida no número anterior representar apenas parte ou fracção da obra ou prestação, só essa parte ou fracção se considera como contrafacção.
3 — Para que haja contrafacção **não** é essencial que a reprodução seja feita pelo mesmo processo que o original, com as mesmas dimensões ou com o mesmo formato.
4 — Não importam contrafacção:
a) A semelhança entre traduções, devidamente autorizadas, da mesma obra ou entre fotografias, desenhos, gravuras ou outra forma de representação do mesmo objecto, se, apesar das semelhanças decorrentes da identidade do objecto, cada uma das obras tiver individualidade própria;
b) A reprodução pela fotografia ou pela gravura efectuada só para o efeito de documentação da crítica artística. (PORTUGAL, 2008, grifo nosso)

Para tal conduta plagiadora, transgressora da criação intelectual do autor, o referido Código também apresenta penalidade específica logo no artigo seguinte, qual seja o artigo 197, se não veja-se:

Artigo 197.º
Penalidades
1 — **Os crimes previstos nos artigos anteriores são punidos com pena de prisão até três anos e multa de 150 a 250 dias,** de

acordo com a gravidade da infracção, agravadas uma e outra para o dobro em caso de reincidência, se o facto constitutivo da infracção não tipificar crime punível com pena mais grave.

2 — Nos crimes previstos neste título a negligência é punível com multa de 50 a 150 dias.

3 — Em caso de reincidência não há suspensão da pena. (PORTUGAL, 2008, grifo nosso)

Importante passagem sancionatória, em comparação com a legislação penal brasileira, demonstra maior reprovabilidade legislativa ao cumular a pena privativa de liberdade com a pena de multa, tendo em vista que o Código Penal Brasileiro imputa penas alternativas, ou pena restritiva de liberdade, que automaticamente deve ser revertida em pena restritiva de liberdade, ou pena de multa.

Assim, observando a reprovabilidade da legislação portuguesa percebe-se a rigorosidade legal necessária para o desestímulo da prática do plágio, tendo em vista que uma punição mais bem construída representa prevenção contra fatores criminógenos, importando, assim, em importante fator de proteção.

Além disso, de todo o exposto acerca da elucidação do direito autoral e enquadramento da prática ilícita do plágio no Código do Direito do Autor e Direitos Conexos, tal códex ainda inova e surpreende ao explicitar forma de aquisição da propriedade que não se opera diante da criação intelectual.

A usucapião, forma originária de aquisição da propriedade, não se molda aos direitos autorais, isto é, moldado à presente temática, sobre obras científicas, por força do que dispõe o artigo 55 do Código analisado: Usucapião – O direito de autor não pode adquirir-se por usucapião (PORTUGAL, 2008).

Não bastando, o Código em apreço ainda disserta, mesmo que de forma sucinta e indireta, sobre a função social e eventuais danos que podem extrapolar a figura do autor, se não veja-se pela leitura do artigo 210:

Artigo 210° - I (Sanções acessórias)

1 – Sem prejuízo da fixação de uma indemnização por perdas e danos, a decisão judicial de mérito deve, a pedido do lesado e a

expensas do infractor, determinar medidas relativas ao destino dos bens em que se tenha verificado violação de direito de autor ou de direitos conexos.

2 – As medidas previstas no número anterior devem ser adequadas, necessárias e proporcionais à gravidade da violação, podendo incluir a destruição, a retirada ou a exclusão definitiva dos circuitos comerciais, sem atribuição de qualquer compensação ao infractor.

3 – **O tribunal, ponderada a natureza e qualidade dos bens declarados perdidos a favor do Estado, pode atribuí-los a entidades públicas ou privadas sem fins lucrativos,** se o lesado der o seu consentimento expresso para o efeito.

4 – Na aplicação destas medidas, o **tribunal deve ter em consideração os legítimos interesses de terceiros, em particular os consumidores.**

5 – Os instrumentos utilizados no fabrico dos bens em que se manifeste violação de direito de autor ou de direitos conexos devem ser, igualmente, objecto das sancções acessórias previstas neste artigo. (PORTUGAL, 2008, grifo nosso)

Conforme se depreende desta passagem legal é que o Código de 2008 já previa a necessidade de ponderação dos efeitos sociais, que extrapola a relação entre as partes diretamente envolvidas, para que o direito do autor e sua indevida transgressão seja analisada de forma a contemplar todos os envolvidos no contexto social e jurídico do caso concreto.

O que se observa é que o Direito Português está contemplado por legislação profunda e sedimentada, diferentemente do que ocorre com as legislações brasileiras que embora matematicamente sejam superiores, revelam-se esparsas e quase que sem aplicação prática por não reunir em uma só legislação aspectos constitucionais, civis e penais.

A Legislação Portuguesa, ao revés, detém de instrumento fixo e concreto de elucidação do Direito Autoral em suas múltiplas formas de individualização e consequente punibilidade advinda de transgressões a este direito subjetivo.

Desse modo, percebe-se a todo momento de análise do Código do Direito do Autor e Direitos Conexos a envoltura legislativa necessária para o fiel e real combate ao crime de plágio como ato atentatório à dignidade inovadora e às criações intelectuais, de forma que a percepção ampla do direito autoral no prisma português facilita o estímulo aos fatores de proteção que são necessários para evitar o cometimento do crime de plágio, bem como a dimensão social ao qual recai o direito autoral.

2

O plágio e a produção académica

O presente tópico científico buscará elucidar, de forma sintética e contextualizada, a individualização do crime multifacetado de plágio no ambiente propriamente académico, com vistas a extrair o máximo de elementos subjetivos do tipo penal, bem como das circunstâncias que rondam o referido delito.

Assim, de maneira retilínea, a contemporânea passagem explanará acerca dos perfis emblemáticos daqueles que recorrem ao plágio académico como comportamento delituoso com finalidade meramente produtiva, sem observação do dever ético de inovar e focar na cientificidade de sua obra.

Nesta senda, vale ressaltar que o foco ao qual o objeto de estudo estará balizado diz respeito ao alunado, isto é, o corpo discente da academia, que, conforme já exposto outrora, são os maiores sujeitos ativos do tipo penal consubstanciado no artigo 184 do Código Penal Brasileiro e no artigo 196 do Código Português de Direito do Autor e Direitos Conexos.

2.1 O Plágio e os Alunos

Conforme já sedimentado e superado, o maior índice e local de ocorrência onde se configura o crime de plágio é no ambiente académico, provocado por comportamento de jovens estudantes que se socorrem em tal prática delitiva para apresentação de trabalhos com viés ilusório, sem qualquer estudo empírico algum.

Neste ínterim, questiona-se e convida-se o leitor à reflexão crítica: o que faz com que o crime de plágio, na sua grande maioria de ocorrência, seja inclinado ao alunado? Porque o uso de cópias ilícitas são praticadas pelos estudantes académicos? Tal resposta não encontra-se em superficiais enquadramentos, pois não basta dizer que estes são os maiores sujeitos que praticam o presente delito em comento porque estão sob análise de mérito avaliativo que serve de índice aprovativo.

Desse modo, como ponto principal do presente trabalho de cunho científico, o plágio, antes de crime, consiste em um comportamento, cujo viés é profundo e multilateral, como exposto, a começar da sua conceituação ao enquadramento, e mais ainda quando analisados seus motivos intrínsecos que ultrapassam a simples conotação de delito.

Esse pensamento é amparado por Krokoscz ao dispor que:

> Isso também vale para o âmbito científico/académico, contudo obseva-se nessa área uma especificidade que vai além do alcance da lei. Embora o direito de criador de obra intelectual seja protegido pelas mesmas leis de direitos autorais que defendem os autores de literatura, artes etc., no processo de criação e apresentação de uma obra científica há a existência e participação de um terceiro personagem: o leitor.
>
> (...)
>
> Assim, fica evidenciado que o plágio pode acontecer nas mais diversas áreas, contundo adquire uma especificidade na área académica, tornando-o um problema que extrapola o alcance da lei, configurando-o com uma complexidade que não se trata simplesmente de uma questão jurídica. (KROKOSCZ, 2015, p. 20-21)

Nesse momento, é importante inclinar-se a observar que mesmo com toda exposição jurídica já vergastada esta revela-se totalmente inexpressiva quando diante da prática do plágio académico, que revela, entre os alunos, diante de seu professor, total descaso com a produção científica e com o objetivo desta.

Entretanto, muitas vezes, tal descaso e ausência de cautela com a inovação científica revela uma falha do próprio sistema educacional e académico de determinado espaço, uma vez que o aluno é produto do meio ao qual está inserido, necessitando de estímulos positivos para dar respostas positivas ao cerco que lhe ronda.

Ora, esperar uma produção científica inovadora apontando todos os olhares apenas para o alunado é o mesmo que lhe dar instrumentos de batalha e não impulsioná-lo ao uso por meio de treinamentos e motivações necessárias à jornada científica.

Por isso, o alunado, quando em comparação com o docente, e posto em situação hierarquicamente inferior por submissão académica a este, é quem mais necessita se recorrer ao plágio para lograr êxito, mesmo que fantasiosamente, no mundo estudantil ao qual pertence, sem perceber que em nada aprende e em nada acrescenta a toda a gente.

É cediço que os alunos estão em constante análise e foco quando em questão aspectos avaliativos para obtenção de notas como meio de aprovação para o módulo, semestre, ou ciclo seguinte, quando em relação direta com o professor, sem interesse criminal algum que não seja a obtenção do coeficiente mínimo exigido.

Tal menção é igualmente explanada por Krokoscz, se não veja-se:

> A primeira impressão que se pode ter em relação à ocorrência do plágio é que se trata de uma ação deliberada com o intuito de obter vantagens particulares por meio do trabalho feito por outros. Essa é a categoria mais tradicional de envolvimento intencional com o plágio, contudo, talvez não seja a mais comum.
>
> Conforme já observado, quando a produção de um trabalho científico é entendida simplesmente como uma tarefa-meio, isto é, com vistas à obtenção de um objetivo-fim tal como receber notas boas, ter um diploma ou aumentar a produtividade científica (...) (KROKOSCZ, 2015, p. 31)

Assim, constata-se a complexidade do plágio no meio académico pela sua difícil categorização quanto à motivação, o que se revela deveras importante, uma vez que se deve verificar os fatores criminógenos que intentam ao plagiador tal prática ilícita, muitas vezes claras e outras mais obscuras, pelo qual realmente um crime deve ser analisado conforme seu espectro individual.

Desse modo, conforme já exposta a percepção de que os alunos são os maiores praticantes do delito de plágio, verifica-se a necessidade de voltar-se a eles, não apenas no sentido de apontar a criminalização da conduta, mas sim a real necessidade de percepção macro da utilização das cópias ilícitas.

Tudo isso porque o crime não surge apenas para punir condutas transgressoras dos bens jurídicos que este vem a tutelar, mas também para elucidar uma conduta dotada de reprovabilidade estatal e social, visando a inibição da mesma para que os futuros agentes delituosos repensem seus comportamentos.

Entretanto, vale dizer que o Poder Legislativo ao confeccionar norma penal incriminadora não consegue, por si só, erradicar os delitos que busca abarcar, tendo em vista que a Lei, por melhor que seja, não consegue fazer com que toda a gente cumpra seus ditames legais.

Nesta senda, os alunos, muitas vezes iniciam tal prática por não possuir conscientização social e jurídica a respeito do tema, podendo até saber da conduta criminosa pelo qual estão se recorrendo, mas sem entender e incorporar a responsabilidade autoral e científica que a Lei objetiva guarnecer.

Para Krokoscz (2015), dependendo da motivação específica do plágio no meio académico, o que coaduna com a real necessidade de dimensionar os motivos determinantes à prática de cópias ilícitas, é que observa o combate perante os alunos, se não veja-se:

> Dessa forma a prática do plagiarismo quando se manifesta como expressão de uma falta (necessidade ou carência subjetiva) pode ser adequadamente enfrentada em nível simbólico. Precisa ser interpretada não na perspectiva da prática em si, mas do ponto de vista das motivações, necessidades e interesses de um sujeito sequioso de reconhecimento, satisfação, gozo. (KROKOSCZ, 2015, p.32).

Com isso, para que haja um efetivo combate ao crime de plágio não basta apenas punir, mas sim investir na percepção de fatores de necessidade e proteção para que as condutas não sejam múltiplas e, só depois, punidas, pois não defende-se, jamais, a impunidade de condutas ilícitas.

Neste viés, vale ressaltar a importância do debate não apenas na seara jurídica de elucidação do crime de plágio, com fito de extrapolar as barreiras legislativas e se inserir no aspecto social da temática que envolve os alunos.

Tal preocupação é debatida desde 1990 quando Schneider publicou o livro "Ladrões de Palavras" e expôs o que contribui pra tal prática continuar rondando o meio académico: "Fala-se pouco do plágio, e escreve-se ainda menos [entretanto, é um assunto que mais do que] publicamente evitado ou absurdamente estendido, merece ser aprendido" (SCHNEIDER, 1990, p. 25-37).

Por isso é importante manter o diálogo aberto sobre o plágio académico, principalmente com aqueles que mais se utilizam deste, quais sejam os alunos, principais envolvidos e também são prejudicados, ao passo que furtam de si a vivência da experiência científica ao se utilizar de algo pronto.

Além de manter o diálogo aberto, é necessário a percepção dos alunos, mesmo que muitas vezes em grandes contingentes, de forma individualizada, de forma a notar condutas que demonstrem indicações e perfis de cometimento do plágio.

Desse modo, passa-se a analisar a importância de categorizar condutas suspeitas e indícios que remontam o plágio a determinado(s) aluno(s), de modo que a atuação de combate efetivo seja realizada antes mesmo da conduta criminosa.

2.2 O Perfil e Evidências Daquele que Utiliza o Plágio em sua Produção Académica

Consoante a constatação lógica e doutrinária acerca do plágio académico ser majoritariamente praticado por alunos inseridos no meio universitário, observa-se a importância do ambiente que lhe ronda diagnosticar possíveis plagiadores e se atentar às evidências que muitas vezes aparecem.

Chacarolli Junior e Oliveira Neto (2013) dimensionam em seu trabalho científico sobre o Plágio no meio dos profissionais de Contabilidade a importância de traçar perfis desonestos no meio acadêmico e a interação entre os diretamente envolvidos como forma de controle educacional, se não veja-se:

> Considerando que a honestidade tem um componente cultural além de um comportamento diferente quando consideradas as áreas de conhecimentos, surge a necessidade de identificar, em um primeiro momento, as visões dos principais atores no processo de ensino e aprendizagem universitário contábil no Brasil: professores e alunos. (CHACAROLLI JUNIOR; OLIVEIRA NETO, 2014, p.4)

Neste momento, observa-se a real necessidade de justaposição óptica do professor com seu alunado, uma vez que este, antes de coordenadorias ou secretarias, é quem mantém contato direto com os discentes, devendo perceber perfis e comportamentos que evidenciam a possível ou a prática do plágio em si.

Vale dizer que o que se quer melhor dizer é a importância da atenção a tais condutas delituosas, não como forma de imputar perfis absolutos, sem exceções ou vislumbres do caso concreto, mas sim despertar um início de percepção mais profunda quanto aos alunos.

O perfil a ser traçado e bem observado por todos que rondam o meio acadêmico deve servir de base e regra para eventuais condutas que sugiram à prática do plágio, mas, por óbvio, necessita ser feito de forma individualizada, de modo que injustiças e falsas acusações não permeiem e frustre a legítima tentativa de combate deste delito.

Assim, tem-se que a plagiofobia e imputações premeditadas, sem embasamento, não pode ser um bloqueio no caminho daqueles que se destinam a observar eventuais perfis delituosos. Vale ressaltar que o objetivo, neste momento, não é imputar culpa ou acusações, mas sim diagnosticar supostos comportamentos que demonstrem perfis plagiadores, de modo que a atuação deva ser preferencialmente preventiva.

Neste diapasão, merece destaque as palavras de Krokoscz (2012) de que nem tudo no meio académico deve estar ligado ao plágio, tal pessimismo não deve existir, o que se deve buscar é a realidade ligada ao empirismo e à cientificidade, conforme se observa:

> Considerando todas as possibilidades de ocorrência do plágio nas diferentes modalidades, a impressão que se tem é que tudo é plágio. Mas não é assim.
>
> De modo geral, o que escrevemos espontaneamente durante o processo de registro do que estamos pensando está imune ao plágio porque cada idioma possui milhares de palavras diferentes e a forma como cada pessoa escolhe e organiza as palavras para comunicar alguma ideia é algo muito pessoal. (KROKOSCZ, 2012, p. 92)

Além da imunidade acerca do pensamento espontâneo e das vivências obtidas no decorrer da produção do conhecimento que se obtém ao passar do tempo, outro ponto de vantagem para a escrita que não pode ser indício nem usado pelo docente para reprovação do processo de escrita, sob pena de amedrontar e desestimular a autoria, é o conhecimento comum do povo, o senso comum.

Como este próprio conhecimento não possui cientificidade alguma, por não passar por análises e experimentos, testes e resultados, não encontra limitação de uso em pesquisas e trabalhos científicos.

Krokoscz (2012) coaduna com esta outra citada imunidade ao aluno no processo de escrita, de modo que se observa:

> Os conhecimentos que em geral são dominados publicamente, isto é, já são amplamente conhecidos, dispensam citação e referência e podem ser utilizados livremente. São conteúdos relacionados a acontecimentos históricos, fatos cotidianos ou conhecimentos convencionais das diferentes áreas de estudo compartilhados universalmente. (KROKOSCZ, 2012, p.94)

63

Ademais, como fechamento de hipóteses que não denotam qualquer indício ou categorização material do crime de plágio, ainda existem as famosas sátiras e paródias que aproveitam materiais originais como fonte de inspiração para elucidar situações do cotidiano de maneira lúdica, ligado às artes cômicas.

Krokoscz (2012) também enuncia as paródias como forma equidistante do enquadramento configurador do crime de plágio, se não veja-se:

> Há casos em que o uso de uma determinada forma e conteúdo é feito com a finalidade de parodiar, isto é, tem a intenção de imitar uma fonte original com a finalidade de fazer graça. Não ocorre plágio nesses casos, pois há uma relação estabelecida de intertextualidade na qual a recuperação e conhecimento do texto original é inclusive condição do texto imitado. (KROKOSCZ, 2012, p. 99)

O que se objetiva, excluindo-se os caos enunciados de exceção, é que a questão emblemática deva ser de que a prevenção deve ser antecedida justamente da análise comportamental dos alunos, fazendo com que esta ocorra do geral mas com foco principal de adentrar nas especificidades, de modo a individualizar devidamente o indivíduo.

Desse modo, muitos professores deverão deixar de lado tolerâncias a pequenos indícios de plágio acadêmico, seja por um simples resumo ou síntese crítica, uma vez que as condutas plagiadoras sempre tem um início, começando de maneira simples e se aprimorando com o passar dos períodos ou ciclos.

Assim, permissões e benevolências não devem ser encaradas como forma de combate do plágio, mas sim a real punição, mesmo que em sede universitária, daquele que se utiliza de forma ilícita das cópias sem cientificidade.

Costa, Muzzio e Sousa (2017) expõe exatamente o que foi supracitado, da importância de não haver descasos mesmo com pequenos atos que estimulam a prática de plágio, conforme se observa:

As instituições de ensino superior, por sua vez, buscam diferentes formas para coibir esse tipo de ação, mas nem sempre são obtidos bons resultados. Contudo, convém esclarecer que muitas vezes pode ocorrer um "pacto de tolerância" entre professor e aluno, de modo que ele "faz de conta que não vê" que o aluno não é autor e que comprou o trabalho. A "vista grossa" dos professores promove, a nosso ver, um ciclo deletério de produção científica. (COSTA; MUZZIO; SOUSA, 2017, p. 14)

Dessa forma, é necessário está atento aos indícios, embora sem relevância prática, para que a atuação se dê justamente de forma embrionária, sem que haja o aprimoramento ou aperfeiçoamento da "arte" de plagiar.

Ao supramencionar indícios vale informar que se tratam de quaisquer vestígios ou possibilidade material de que algum aluno esteja se recorrendo ao crime de plágio para obtenção de critérios avaliativos aprovativos.

Ora, num primeiro plano, de forma superficial, é muito fácil diagnosticar possíveis plagiadores e observá-los no ambiente académico. Um exemplo disso é a incompatibilidade daquele aluno que não é tão presente nas aulas, não tira boas notas de critério avaliativo e apresenta um trabalho perfeitamente bem feito, conforme elucidações das aulas.

Conforme já explanado, isto configura-se apenas como ponto de análise, não consiste em regra intransponível, uma vez que outras circunstâncias podem atuar e ser desconhecida pelo docente que observará tal aluno, entretanto, independentemente, é um indício a ser analisado.

Outra situação de rica suspeita e devida cautela a ser tomada são os casos em que o aluno apresenta um trabalho escrito e deve apresenta-lo em forma de seminário ou qualquer outra forma de exposição dialogada. Caso este aluno, com ou sem teste, não souber expor o conteúdo estudado e transposto para um trabalho devidamente científico é um caso a se observar como forte vestígio de utilização de cópias ilícitas.

Mais uma vez se requer atenção e cuidado para tais análises, tendo em vista, conforme já exposto outrora, outras circunstâncias podem sujeitar o indivíduo a esta situação, seja um nervosismo, insegurança, pânico, problemas emocionais, pessoais ou familiares.

Não se defende aqui uma atuação carrasca, com fito de combater o plágio a qualquer custo, afinal, o docente lida com alunos, seres humanos iguais a si, que podem ter intercorrências cotidianas que influem no seu trajeto estudantil.

Além disso, trabalhos científicos sem citações de autores e referências de tais instrumentos doutrinários, evidencia um trabalho com grandes chances de plágio, mesmo que involuntário, ou que pelo menos necessite de intervenção docente para orientação de como elaborar projetos dotados de ciência.

O que se quer dizer é que, coadunando com as palavras de Krokoscz (2012), o docente atento às situações como esta deve ser sensível à busca da autoria e combate ao plágio, de modo que seu papel deve ser de atuação em conjunto, conforme se expõe:

> Portanto, no ambiente escolar e académico, o papel do leitor dos trabalhos produzidos pelos estudantes é importante para que o plágio seja mitigado. Como visto, há possibilidades e alternativas inovadoras quanto à forma de solicitação de trabalhos produzidos por alunos que professores e orientadores envolvidos ativamente no processo de produção. (KROKOSCZ, 2012, p. 16).

Assim, a presente passagem busca demonstrar exatamente a atuação do docente com o alunado, com fito de conseguir diagnosticar possíveis condutas ilícitas no ambiente académico e propiciar fatores de prevenção e proteção do meio universitário para que o plágio não se torne um vício e o aluno seja seu eterno dependente.

Além disso, conforme se seguirá, merece vislumbre as nuances por detrás do ato plagiador, como a busca do entendimento macro e micro do aluno que se sujeita à prática deste delito para apresentação de trabalho não científico por conter cópias ilícitas, principalmente ligado às motivações que permeiam a raiz e cerne desta questão.

2.3 Problema Social ou de Caráter? Quais os Possíveis Motivos Determinantes?

O contemporâneo tópico revela a necessidade de objetividade e concretude em aspectos subjetivos dos alunos que se recorrem ao plágio para elucidação de trabalhos notadamente não científicos, com fito de entender a atuação delituosa quanto ao problema que envolve o interesse pela não autoria.

As perguntas que rondam a presente matéria são intencionais, mas as respostas não serão taxativas, de modo que não consegue-se esgotar as inúmeras situações pelos quais os alunos se recorrem diretamente ao plágio.

Entretanto, será observada a translucidez motivacional do crime de plágio, de modo a enfocar se tal conduta é advinda da natureza humana como ser inibidor das leis existentes, ou se, isoladamente, ou em conjunto com isso, a questão é social, diga-se, enraizado seja na população brasileira, portuguesa, ou mundialmente falando.

Em breve parênteses, muitos imputam à internet e suas tecnologias o fato da multiplicidade de casos que permeiam o delito do plágio, entretanto, de acordo com Costa, Muzzio e Sousa (2017), não é bem assim que as coisas deveriam ser encaradas, conforme expõem:

> No que concerne à prática de "copiar e colar", esta pode decorrer do avanço dos sistemas de comunicação que propiciam uma facilidade de encontrar uma diversidade de conteúdos disponíveis para cópia na internet. Entendemos que a expansão da internet não pode ser a razão principal para a prática de plágio, uma vez que ela somente a facilita, mas não a produziu. A nós parece que a internet propicia a emergência de uma predisposição dos autores para reproduzir as ideias de outras pessoas como se fossem suas. De fato, bem sabemos que essa prática é anterior à internet e se materializava na cópia de conteúdos de livros ou periódicos. Em

nossa visão, a internet e os seus modernos sistemas de busca podem também contribuir para fiscalizar o próprio plágio, pois se houver cópia, é possível o professor comprovar a fonte original de textos ou passagens de textos que são utilizados como autorais e na realidade não o são. (COSTA; MUZZIO; SOUSA, 2017, p. 14 – 15)

Assim, tem-se, neste primeiro momento, na própria internet uma possível aliada para diagnosticar a incidência do crime de plágio, todavia, tal passagem ultrapassa a constatação do plágio em si para adentrar no mundo dos porquês que tal delito tanto ocorre e tão pouco se é discutido por toda a gente.

Mas, ao tratar da expressão "problema", qual seria o problema dos alunos no meio acadêmico? Conforme antecipadamente sugere o presente subtítulo, seria de aspecto pessoal, ligado ao caráter transgressor do agente, ou um ponto de foco social que beira à repetição ligada à cultura?

São muitas perguntas que possuem um denominador comum como resposta: ninguém, mentalmente saudável e sem distúrbios ligados à personalidade, nasce criminoso. Tem-se, neste intervalo, uma grande questão que envolve toda a temática trabalhada em cima do plágio, no sentido de se constatar que tal comportamento delituoso é, de alguma forma, fruto de aprendizado do aluno.

É neste momento do aprendizado que o presente tópico busca focar, no sentido de que se o aluno aprende, de algum método, a plagiar, porque não pode aprender, sendo ensinado e estimulado, para a produção autoral? Tal resposta, precipuamente, configura um dos maiores motivos da existência do plágio acadêmico, uma vez que estímulos para a autoria muitas vezes não são atiçados.

A primeira leva de pensamentos acerca da autoria é justamente a enorme montanha de desafios que são postos para ser alcançada, motivo pelo qual faz com que aquele que não desbrave o medo e enfrente os desafios, recaia-se no mundo do plágio.

Moraes (2014) diz que para se chegar à autoria não necessita de tempo mínimo ou máximo, nem de muitas performances esmiuçadas, para ser autor basta moldar a ideia criativa, se não veja-se:

> A proteção autoral independe do esforço do criador, prescinde do tempo para a conclusão da obra. Tanto faz se o autor trabalhou durante anos ou por apenas alguns minutos. Tanto faz se houve longas vigílias ou impressionante ligeireza.
>
> (...)
>
> Ideias não são obras, são pensamentos desnudos, ainda sem concreção, sem originalidade expressa. A mera ideia consiste no ponto de partida mental. A obra surge quando a ideia é refinada e adquire forma expressiva, uma singularidade qualquer, ainda que mínima. (MORAES, 2014, p. 36 – 39).

Conforme se confirma e se configura um dos motivos que distanciam o alunado da autoria e do necessário combate ao crime de plágio, qual seja pela dificuldade da escrita própria no meio académico.

Para tanto, Krokoscz (2012) defende que algumas táticas de ensino que demonstram como tal motivo pode vir a ser superado com uma simples sistemática académica mais voltada e preocupada com o estímulo à autoria científica como forma de efetivo enfrentamento do uso de cópias ilícitas, se não veja-se:

> Durante o processo de aprendizagem educacional na escola básica, o estudante pode encontrar a primeira oportunidade para o desenvolvimento da capacidade técnica de escrita. Ainda que hoje a rapidez de acesso na internet e a facilidade de utilização das mesmas intensifiquem o processo de pesquisa como um simples hábito de cópia, isso deve ser abolido das práticas de ensino e aprendizagem escolares.
>
> A mudança não precisa ser radical. Como sugestão, durante o processo de estudo de um determinado assunto, os alunos podem fazer o levantamento e busca de materiais de informações sobre o mesmo. Porém, o que pode ser feito a partir disso é pedir ao aluno que faça um relatório das diferentes fontes selecionadas, observando, obviamente, alguns procedimentos de técnica textual como uso de paráfrases, sumarização e intertextualidade, atenção,

a procedimentos de normalização como elaboração de citações e referências; e, o mais importante, a utilização de modos de pensamento e raciocínio para o relacionamento e associação de ideias para a construção do próprio texto. (KROKOSCZ, 2012, p. 28 – 29).

Como percebe-se, o plágio, mesmo que na grande maioria dos casos ocorra no meio académico, seu cerne deve ser combatido desde o ensino básico, com vistas a despertar a criatividade humana e a cientificidade do alunado, tornando palpável o que erroneamente parece ser intocável: a ideia, a invenção e a obra.

O que se nota é que a devida acreditação acerca da potencialidade autoral e científica deve ser o primeiro passo de exploração da figura escondida de cada aluno no sentido de ser e se efetivar como autor. Não fala-se, neste primeiro prisma, de autoria de livros ou obras mais rebuscadas, tendo em vista que isto é decorrência de desenvolvimento, o que se defende é o primeiro passo, pois a caminhada pode decorrer da continuidade.

Outro ponto motivacional de grande conjectura no presente caso é, reconhecidamente, conforme citado acima, a facilidade no uso de instrumentos tecnológicos que estão a serviço de todos no meio académico.

Entretanto, como forma de expor breve parênteses, cabe mencionar que entra em questão, mais uma vez, a questão ética, de caráter, ligado à figura do aluno, uma vez que se a conscientização discente existisse na sua integralidade, nenhum instrumento de facilitação do cometimento de qualquer delito seria utilizado unicamente por este motivo.

O que se percebe é que o instrumento da internet ofusca, equivocadamente, a produção autoral no sentido de que apresenta um mundo de trabalhos académicos a disposição, o que atiça muitos comportamentos delituosos que visam, por tal "facilidade", a apresentação de pesquisas científicas prontas.

É certo, conforme já exposto outrora, que a internet é um plano dinâmico de utilização, isto é, pode ser utilizada como contributo à pesquisas científicas, de modo que existem muitos trabalhos que dão embasamento às discussões propostas, todavia, por outro lado, é o caminho mais curto para aquele aluno que não despertou ainda o dever ético e social da busca pela autoria.

Neste sentido, Krokoscz (2012) expõe que o plágio académico sempre existiu, não obstante, a internet facilitou e muito sua efetivação e propagação no meio escolar, o que se observa pela passagem:

> Há poucos anos a produção textual exigia deslocamentos a livrarias e bibliotecas em busca das publicações necessárias à investigação, as pesquisas requeriam a prática de preenchimento manual de fichas de anotação, quando muito os privilegiados dispunham de máquinas de escrever mecanicamente.

> Em suma, o plágio existe desde a antiguidade, mas copiar foi se tornando muito mais fácil no decorrer dos tempos e está muito facilitado pela automatização dos processos de pesquisa e escrita na atualidade. (KROKOSCZ, 2012, p. 24)

Desse modo, mais uma vez, um aspecto motivacional da prática delituosa do plágio, qual seja a facilitação que a internet oferece para tanto, seria amplamente possível de reversão, uma vez que a internet é importante meio para realização de aspectos autorais, servindo de base, como dito, de amparo para as investigações ganharem embasamento teórico e prático com relação aos temas a serem explorados.

Tecla sempre a ser batida, incansavelmente, vale rememorar que o caráter e o aspecto social que ronda o alunado muito influi e contribui na forma que este vem a se apresentar, comportadamente, no meio académico. Isso porque o discernimento, amadurecimento e senso de responsabilidade autoral são fatores de proteção suficientes para o combate da prática plagiadora.

Neste ínterim, percebe-se que a ausência de ética é importante força motriz que impulsiona as reiteradas práticas do crime de plágio, de forma que se mostra intencional a utilização e apropriação de cópias ilícitas para si.

Krokoscz (2012) expõe outra visão mais profunda da realidade, qual seja o curso de licenciaturas e bacharelados, mestrados e/ou doutorados, como simples forma de engrandecimento pessoal pelo uso do título, o que se observa:

> Essa indiferença com o trabalho de pesquisa e avanço do conhecimento tende a ser pior no caso dos estudantes que sequer estão preocupados apenas com o ensino. Para aqueles para quem a importância do ensino superior limita-se à obtenção de um título de graduação para atestar o nível superior frente às exigências do mercado de trabalho, a preocupação com a integridade académica no que diz respeito a produção de trabalhos universitários ilibados é uma quimera.

A falta de ética mencionada é exatamente a ausência de elo com a produção do conhecimento, justamente por utilizar-se deste para, individualmente, galgar degraus de ascensão de títulos académicos, renome e status social.

Continua Krokoscz (2012) com sua explanação ao confirmar o interesse em status a que se pondera:

> Neste caso, o plágio na cabeça do académico pode chegar a ser entendido no máximo como um "jeitinho" arrumado para se alcançar determinado objetivo. Em relação a isso, cabe observar que se trata de algo relativo ao próprio padrão cultural ao qual se pertence. (KROKOSCZ, 2012, p. 32)

Quando o referido autor expõe o ambiente e padrão cultural ao que se pertence não há vislumbre de limitação nacional, seja Brasil, seja Portugal, o que se expõe é justamente as forças externas atuantes para a lactação do plágio académico.

Não bastando, há ainda aqueles alunos que, com objetivo totalmente tortuosos e desentendidos da função social da produção científica autoral e da propriedade intelectual, se utilizam do plágio para uma reprodução em massa, focando no aspecto numeral, para galgar publicações falsamente científicas.

Muitas vezes, mais uma vez eivada pelo contrassenso cultural, o aluno se vê emergido na necessidade de produção académica desmedida, no momento que deixa de focar na qualidade científica e adentra na larga escala numérica de publicações sem pesquisas qualitativas ou quantitativas propriamente ditas.

Krokoscz (2012) dispõe, acerca desta passagem, que:

> Portanto, trata-se de uma preocupação que também merece ser considerada. O interesse pelo produtivismo científico, seja pela pressão institucional que atrela concessão de vantagens ao tamanho do currículo do pesquisador, seja pela ambição pessoal do autor que deseja publicar a qualquer custo, representa um sério risco à originalidade e integridade da qualidade científica em todos os níveis académicos. (KROKOSCZ, 2012, p. 31).

Assim, conforme exposto, longe de esgotar, em números, os aspectos motivacionais, culturais ou individuais, acerca do crime de plágio, merece destaque a importância de assim discutir e refletir sobre as necessidades criminógenas e os fatores de risco que circunstanciam o referido delito.

Mesmo assim, ultrapassando a análise e discussão do tema, se não combatida de forma efetiva, conforme a demonstração pelo presente estudo, o plágio, assim como outros comportamentos delitivos, nunca deixarão de ocorrer na escala que se apresentam. Não se fala em milagrosamente erradicar de vez o uso de cópias ilícitas, mas uma tentativa diária de percepção do alunado com a coletividade e seu papel protagonista no campo científico.

2.4 A Conscientização quanto à Prática Ilícita de Plagiar um Trabalho

Observados espectros motivacionais que circundam o delito de plágio académico, conforme se destaca, calha focar na necessidade de conscientização e desenvolvimento de responsabilidade científica do alunado, com fito de alcançar e tocar na função social da propriedade intelectual como ponto finalístico da autoria.

Inicia-se, a presente passagem, pelas palavras de Valentim (2014, p. 189 e 190):

A construção do conhecimento é fundamental para a consolidação de qualquer área e, portanto, o conhecimento científico acumulado expressa a ciência construída de uma determinada área. Compreende-se a ciência como um importante recurso social para a resolução de problemas, bem como defende-se que a ciência é o maior bem da humanidade, pois é por meio dela que avançamos e somos o que somos.

Neste momento, importante relembrar que a autoria científica não é algo individual, que morre na relação autor e obra, ao contrário, deve ser algo transcendental, difuso, coletivo, partindo do criador para a sociedade, como contributo da sua existência empírica.

Assim, neste primeiro momento, deve observar-se que o conhecimento não é algo que sempre vem aos pesquisadores, mas sim algo a ser produzido, justamente para que cada um, na figura de pesquisador científico, deixe sua contribuição para a cidade, região, distrito, nação que faz parte, ou até mesmo mundialmente falando.

Dessa forma, é muito difícil obter tais contributos daqueles que não dão a mínima importância para o desenvolvimento científico de projetos, trabalhos, uma vez que não se pode extrair algo do aluno que não incorpora a cientificidade como um dogma académico.

Nesta seara, Krokoscz (2012) expõe que:

Portanto, para aqueles para quem o conhecimento não é um valor em si, mas um meio para obtenção de outros fins, a decisão de cometer plágio é assumida deliberadamente e sem constrangimentos, embora se saiba que é algo que não deve ser feito e como pode ser evitado. Sendo assim, este pode ser considerado o pior motivo para a ocorrência do plágio, pois se relaciona diretamente à ausência ou corrosão de valores académicos como o compromisso com a inovação do conhecimento. (KROKOSCZ, 2012, p. 32).

Conforme se depreende da leitura acima, é necessário que todas as forças atuem no sentido do despertar do papel social que cada aluno tem para a sociedade. Não se fala que este não alcançará vitórias acadêmicas próprias, pelo contrário, este deve observar que pode, e deve, observando a função social da propriedade imaterial, que seu sucesso científico transparecerá para a sociedade como contributo da sua pesquisa.

Nesse momento, não menosprezando o aspecto formal e estrutural as obras científicas, deve-se notar que a conscientização primordial ao qual se fala é justamente na produção de conhecimento afim específico e cientificamente falando, não apenas ligado apenas às normatizações operacionais de apresentação desta pesquisa.

Desse modo, Dellagnello e Rizzatti (2016), ao dispor de suas vivências na academia e do que perceberam quando diante de produções científicas, asseveram que:

> Assim considerando e retomando o foco desta discussão, entendemos que a educação para a autoria na esfera acadêmica não pode se limitar a atividades de bases notacional, operacional, estrutural ou afins, nem a bases discursivas apenas. Não nos parece que objetificando os gêneros do discurso conferindo-lhes uma estabilidade que não é compatível com a lógica do próprio conceito, seja possível educar os sujeitos para a autoria, a exemplo de encaminhamentos vinculados a "como fazer uma resenha", "como escrever um artigo acadêmico" e afins, ao que se acresce toda uma literatura de apelo de mercado que alimenta esses propósitos, inócuos na origem.
>
> Disciplinas acadêmicas do campo da Produção Textual tendem a se organizar com enfoques tais há algum tempo, e não nos parece que, a partir deles, venha se consolidando a educação para a autoria. Nossas experiências em docência nelas, mesmo que sob "nobres" propósitos, têm sinalizado para essa inoperância. Com elas, temos aprendido que acadêmicos tendem a manter-se sob efeitos de orientações dessa ordem ao longo das disciplinas que as tomam como objeto de ensino, desvencilhando-se dessas orientações tão logo não estejam mais dependentes dos "créditos"

correspondentes a essas mesmas disciplinas, o que leva docentes, ao final da graduação, a interpelarem seus alunos na busca de saber por que/se "não cursaram disciplinas em que lhes tenham ensinado questões notacionais, normativistas e afins". Se o fizeram, como "não sabem escrever"? Certamente o pragmatismo não é resposta para a complexidade desse quadro, no qual as vivências culturais constituem componente relevante. (DELLAGNELO; RIZZATTI, 2016, p. 4 – 5).

Valentim (2014, p. 190, grifo nosso) ainda contribui ao expor que:

> Nessa perspectiva, os sujeitos acadêmico-científicos necessitam utilizar métodos e técnicas para o desenvolvimento do 'novo' conhecimento, evidenciando o rigor científico exigido pela comunidade científica na qual estão inseridos, **mas também necessitam agir eticamente em relação a apropriação da informação**.

Tal aspecto formalístico deve ser aplicado quando diante de obra perfeitamente autoral, isto é, depois de finalizada e verificada o verdadeiro passo a passo criativo. O que se busca, não é uma conscientização rasa de responsabilidade social e científica de como o trabalho se apresenta perante às normas de formatação, mas sim o conhecimento produzido e seu contributo para o meio social.

Muitas vezes, tal formalismo de início pode assusta a produção autoral justamente pela falsa ideia de que a identidade criativa é menos importante que a linguística e a formatação, seja pelas regras da ABNT, APA etc.

O fato é que cada instituição acadêmica tratará os aspectos formais como lhe aprouver, uma vez que as tendências globalizadas imputam várias formas de estruturação de trabalhos científicos, cada um com sua particularidade.

Desse modo, o despertar do papel contributivo da autoria deve ser conquistado por aqueles que possuem contato direto com o alunado, seja pelos professores, seja pelas secretarias acadêmicas ou coordenações específicas dos cursos para que em uma atuação conjunta os benefícios sejam colhidos mais frutuosamente.

Pimenta e Ramos (2013, p. 12) dissertam sobre a significação da conscientização e reforço estatal de proteção autoral que recairá sobre as obras, como forma de estímulo para a produção científica, garantindo propriedade sobre a materialização da ideia, conforme se expõe:

> Desta forma, a propriedade intelectual é uma contraprestação assegurada pelo Estado ao autor como retribuição ao seu trabalho, sendo que a sua inobservância ou mesmo o desaparecimento do instituto jurídico pode funcionar como desestímulo a produção intelectual original. Afinal, inexiste na proposta de Negroponte um incentivo para essa continuidade produtiva que seria potencializada com a abertura dos sistemas, o que representa total incoerência com o sistema capitalista ora instalado e que exigiria uma abrupta ruptura de paradigmas.

Continua Pimenta e Rmaos (2013, p. 12) expondo que tais preceitos constituem enunciados constitucionais garantidores da propriedade intelectual, que deve ser suscitado para os académicos, como alvos da Constituição Federal da República Federativa do Brasil, se não veja-se:

> Atualmente, conforme se observa na Constituição Federal de 1988, que em seu artigo 186 e incisos estabelece que a propriedade privada só tem seu direito resguardado quando cumprir sua função social, um entendimento verificado também no § 1º do artigo 1228 do Código Civil. Assim, a legislação pátria é consoante com as teorias do Estado Social, segundo as quais o ente público deve intervir para garantir o bom uso da propriedade, permitindo que efetivamente seja atenda a sua função social.

Ainda, a Constituição da República de Portugal (PORTUGAL, 1976) traz à discussão importante enunciado que também consubstancia argumento favorável ao estímulo intelectual e autoral, conforme se verifica:

> Artigo 42.º
>
> Liberdade de criação cultural
>
> 1. É livre a criação intelectual, artística e científica.

2. Esta liberdade compreende o direito à invenção, produção e divulgação da obra científica, literária ou artística, incluindo a proteção legal dos direitos de autor.

Desse modo, a conscientização do alunado no meio académico acerca da constitucionalização da autoria, conforme se depreende de análise constitucional brasileira, nas palavras de Pimenta e Ramos (2013, p. 12), bem como elucidação de dispositivo português, denota enorme importância perante a criação intelectual.

Assim, reconhecidamente, o meio académico é o mais apropriado à desenvoltura científica, bem como o despertar criativo e a transformação em obra palpável, de modo a contribuir com toda a sociedade académica e o meio regional ao qual está integrado, como indivíduo responsável pelo desenvolvimento sociológico, tecnológico e científico do lugar pelo qual faz parte.

Tal exposição constitucional de ambas as nações, Brasil e Portugal, podem despertar no alunado a convicção pública de sua criação intelectual, com vistas a atingir os preceitos contidos nas Constituições vigentes, principalmente no que diz respeito à função social da propriedade imaterial.

Desse modo, a responsabilidade autoral deve ser plantio realizado de forma prazerosa, de modo a despertar nos académicos o desejo pela leitura e pela escrita, como próprios autores em potencial.

Conforme dito alhures, o alunado deve incorporar a função social da propriedade intelectual e agir como produtor de conhecimento científico, dotado de capacidade para tanto e atendo às discussões e reflexões críticas mais urgentes e carentes no meio social.

Neste diapasão, vale dizer que muitos alunos não possuem conscientização autoral justamente por ausência de aspectos metodológicos que facilitem a produção científica, conforme explana Krokoscz (2012, p. 72):

Muitos casos de plágio acontecem de forma acidental, ou seja, o redator acaba cometendo plágio sem querer simplesmente porque não sabe utilizar de forma correta as regras técnicas relacionadas à escrita científica que correspondem a determinadas convenções académicas.

É importante enfatizar que no ambiente académico não é proibido utilizar conteúdos de outros autores quando o objetivo é o desenvolvimento do conhecimento, porém, sempre que isso for feito deve ser indicado o autor original (citação) e identificada a fonte utilizada (referência).

Tudo isso para que sua obra científica seja alvo de grande contributo para a coletividade, recebido com a riqueza devida do empirismo, do estudo sistematizado, da análise reflexiva e do debate acerca dos resultados qualitativos ou quantitativos existentes, balizada ainda, em conhecimentos advindos de argumentos de autoridades no assunto citado.

Ainda, neste intervalo, merece destaque as elucidações de Valentim (2014, p. 190) ao dispor que:

> No âmbito do conhecimento científico, para que o sujeito cognoscente construa 'novo' conhecimento é necessário interagir com a ciência acumulada. O processo de construção de conhecimento exige uma série de processamentos cognitivos, bem como exige uma conduta ética que deve ser inerente ao sujeito (...)

Com isso, observa-se que a consciência e senso de responsabilidade autoral deve partir do autor para que seu estudo seja dotado de ética académica, com verossímil cumprimento dos modelos de pesquisa a serem utilizados, bem como fiel interação com o objeto de estudo.

Valentim (2014, p. 205) ainda expõe que:

> A ética em pesquisa é fundamental para o desenvolvimento da ciência, em qualquer área e em qualquer tipo de instituição. Cabe aos líderes de grupos de pesquisa, aos orientadores de mestrado e doutorado, aos orientadores de TCC, influírem em uma conduta investigativa ética. A comunidade científica deve disseminar a ética

em pesquisa, de forma que as práticas investigativas não éticas sejam abolidas do meio académico-científico.

Desta feita, deve-se dizer que o plantio a qual se refere, qual seja da semente da busca pela melhor autoria pela produção inventiva e intelectual, deve ser realizado em conjunto entre docente, com apoio da universidade a qual é ligado, com o alunado, conforme passa a se expor logo em seguida, de modo que os estímulos à criação cientifica sejam constantes no meio académico.

2.5 A Postura do Professor/Universidade frente ao Plágio Académico e Autoria Científica

Consoante ao exposto na presente tese científica, verifica-se a missão do docente na academia ultrapassa a barreira da transmissão de conhecimento para seu corpo discente, com vistas a melhor e mais profundamente explorar as potencialidades destes.

Oliveira e Valença (2015, p. 2) elucida a situação brasileira quanto à pesquisa científica, se não veja-se:

> Diferentemente do Ensino Básico, a entrada numa universidade e faculdade exige um grande uso de algumas habilidades, e a boa escrita é uma delas. Num país que passa por dificuldades estruturais na educação, como o Brasil, escrever tornou-se um problema crônico. Assim, a passagem do Ensino Básico para o superior deveria ser tratado com maior cuidado por parte dos sistemas de ensino público e privado.

Neste ínterim, vale dizer que o professor, abalizado pela instituição de ensino/universidade, deve ter o cuidado de ultrapassar a "mesmice" académica no qual o docente é o centro das atenções, pelo qual esbraveja conhecimentos já adquiridos ao decorrer de sua experiência profissional e os alunos meros espectadores.

Tal modelo educacional encontra-se deveras ultrapassado à medida em que a academia passa, seguindo tal prognostico, a se

80

limitar a alunos que serão apenas reprodutores do conhecimento transmitido por seus tutores.

Desse modo, conforme o contemporâneo trabalho demonstra, a reprodução automática do que já está posto, utilizando-se de cópias ilícitas, é indício direto do cometimento do delito de plágio, tendo em vista que a inovação é algo constantemente ausente.

Essa constância decorre em inúmeros casos da ausência de estímulo por parte da universidade em si e do professor propriamente dito no que tange ao dever de propiciar a autoria científica.

Desse modo, calha demonstrar que, nas palavras de Krokoscz (2012, p. 64), o estímulo à autoria deve partir da própria universidade:

> Garantida a competência técnica, a melhor forma de evitar o plágio decorre da atitude do redator, pois produzir um trabalho acadêmico benfeito e original depende de uma escolha pessoal: obter êxitos de modo honesto.

> Embora esse compromisso dependa inicialmente de uma decisão individual que corresponda ao que é esperado no processo de aprendizagem acadêmica, também faz parte do processo educativo universitário fomentar o cultivo da ética institucional promovendo no ambiente de estudos uma cultura fundamentada na integridade acadêmica.

Ainda, neste mesmo plano, calha suscitar que, sob um primeiro prisma, conforme indiretamente destacado, o professor diretamente interagindo com seus alunos deve ter enfoque nas questões autorais e combater o plágio acadêmico, entretanto, somente tal profissional também não é suficiente para erradicar a prática delituosa em tela, é necessário ainda a participação efetiva da Universidade com programas de combate efetivos ao uso das cópias ilícitas no meio universitário.

Quando se menciona programas de combates vantajosos à diminuição da prática plagiadora não se denota apenas regimentos internos contendo as devidas punições acadêmicas para o uso das cópias ilícitas, mas também, e principalmente, programas incentivadores à escrita autoral.

Ariente (2015, p. 267 – 270) expõe as dificuldades que o alunado possui quando não recebe apoio público e da rede privada universitária, demonstrando muitas vezes quais caminhos tortuosos estes terminam por percorrer:

> No Brasil, apesar de muito financiamento de projetos e pesquisas académicas serem feitas por órgãos públicos, ocorre um processo de privatização dos aspectos patrimoniais do conhecimento sob forma de direitos autorais e patentes.
>
> (...)
>
> Desse modo, o emprego de cópias resulta numa das poucas alternativas pelas quais os alunos conseguem acompanhar o curso. Outros estudantes, no entanto, nem estes encargos conseguem suportar e tornam-se mais uma fração da estatística de evasão.

Nesta senda, o perfil académico, a começar pelo professor, deve ser de fiel estímulo a produção científica, certa de que as potencialidades individuais dos alunos existem, havendo apenas de ser melhor explorado e, posteriormente, lapidado como uma joia preciosa, tendo em vista que, conforme já demonstrado, o conhecimento, ou melhor, a sua produção, é a chave para o desenvolvimento social de uma determinada região.

Uma possível atuação, amplamente satisfeita no meio académico, conforme comprova Carvalho (2014, p. 1, grifo nosso) ao dissertar que:

> **O aumento da colaboração científica caracterizada pela coautoria é uma das principais tendências verificadas nos últimos anos na produção em ciências.** A fim de relacionar a coautoria e a produção dos docentes do Programa de Pós-Graduação em Educação em Ciências: Química da Vida e Saúde, da UFRGS, foram identificados os artigos científicos registrados no Currículo Lattes -- do Conselho Nacional de Desenvolvimento Científico e Tecnológico (CNPq) -- desses pesquisadores publicados em periódicos classificados no sistema WebQualis da Capes, na área de Ensino, no período de 2005 a 2013. A pesquisa

é de métodos mistos e foi realizada com auxílio de técnicas bibliométricas e de Análise de Redes Sociais (ARS). **Os resultados indicam um crescimento de trabalhos em coautoria, assim como mostram que seus elementos de conexão são os professores, com forte tendência dos alunos em publicar junto com seus orientadores**

Assim, verifica-se que o apoio universitário que influencia a coparticipação entre docentes e alunos em projetos científicos de coautoria muito beneficia o ego em potencial do aluno por perceber ser passível de colaboração com seu mestre em sala de aula.

Esta técnica de empoderamento pessoal dos alunos, com fiel influência na acreditação que cada discente tenha em si próprio como coautor interino em conjunto com seu professor estimula a produção científica no ambiente académico, diminuindo a distância de aparente hierarquia existente entre docente e discente.

Outra importante ponderação a ser feita acerca do papel da Universidade na produção científica é o maior envolvimento académico do aluna com a disciplina base para qualquer produção empírica, qual seja a Metodologia da Pesquisa/Trabalho Científico. Oliveira e Valença (2015, p. 2) expõe que:

> A Metodologia Científica significa estudo dos métodos ou da forma, ou dos instrumentos necessários para a construção de uma pesquisa científica; é uma disciplina a serviço da Ciência. Metodologia é a parte onde será indicado o tipo de pesquisa que será empregado, as etapas a serem realizadas.

Além disso, tais autores, Oliveira e Valença (2015, p. 3, grifo nosso) demonstra a real necessidade de interação produtiva entre professor e alunado ao dispor que:

> Portanto, **compete aos professores e estudantes**, através da prática de pesquisa, proporcionar a sociedade novos conhecimentos com a finalidade de torná-la padrão na praxe do ensino superior e nas demais modalidades de ensino (principalmente no ensino médio), o que certamente facilitaria, significativamente, a vida do ingressante de ensino superior.

Desse modo, percebe-se que além de uma atuação voltada à produção materialmente científica, os professores, independentemente de ministrarem a grade curricular de Metodologia da Pesquisa Científica, posteriormente a materialização da ideia inventiva, conforme já exposto, carecem de atuação preponderante na uniformização dos trabalhos científicos sob sua tutela.

Oliveira e Valença (2015, p. 4) dispõe acerca da caracterização da disciplina supramencionada e de sua importância para o fiel formalismo uniforme inerente às pesquisas, com fito inclusivo de inexistir qualquer que seja característica pessoal do autor, conforme segue:

> A produção do conhecimento científico exige algumas regras/métodos imprescindíveis para o seu sucesso, o que a Metodologia Científica explica detalhadamente. Um produto acadêmico não nasce do vazio e muito menos deve ser escrito de qualquer forma. Além do passo-a-passo científico (problema, objeto, fontes, recorte temporal, metodologia, aporte teórico, debate historiográfico, entre outros), a escrita tem que ser clara e acadêmica. Aqui é a parte onde será indicado o tipo de pesquisa que será empregado, as etapas a serem realizadas, como: revisão de literatura, coleta de dados (delimitar o universo da pesquisa, os instrumentos de coletas, indicando a seleção dos sujeitos), análise dos dados e da redação final.

Outrossim, verifica-se a importância da disciplina de Metodologia dos Trabalhos Científicos como papel preventivo ao crime de plágio, principalmente aquele ocorrido sem intenção direta de plagiar, mas sim por displicência técnica no momento de elucidar pensamento original de outro autor, seja pelas variáveis de formas de citar ideia autoral, bem como pela elucidação bibliográfica utilizada para a obra.

Ademais, calha deveras necessário a produção de Regimentos Internos diretos e simplificadas, assim como manuais de fácil manuseio, a respeito de Metodologia do Trabalho, com vistas a tornar acessível as regras atinentes à formalidade exigida na pesquisa científica, bem como a interceptação de caminho nítido de escrita por parte do alunado.

Dessa forma, ainda, as universidades, em suas totalidades, devem estimular programas de incentivo à escrita autoral e científica, que busque solucionar problemas sociais no meio que ronda o pesquisador, demonstrando que a efetivação do combate ao plágio se dá pela deferência da autoria e sua função social.

Somente com o envolvimento de todo o meio social académico, seja pelo professor atuando em conjunto com o aluno, bem como a Universidade chamar para sim, também, a responsabilidade de estímulo à produção autoral é que se pode falar em atividade atuante no combate ao crime de plágio.

3.

A atuação estatal efetiva e o combate ao simbolismo penal

É cediço que a autoria e a função social da propriedade imaterial, conforme amplamente balizado anteriormente, é que move a presente pesquisa, como consequência precípua do combate efetivo ao crime de plágio.

Neste diapasão, conforme a proposta desta dissertação, o efetivo combate ao plágio só ocorre se toda massa envolvida na situação delituosa descrita se mover para tanto, de modo que até mesmo, e principalmente, o Estado Brasileiro e Português deve ser atuante no sentido de promover meios sociais de prevenção e repressão ao crime em discussão.

Vale dizer, neste primeiro momento, que a República Federativa do Brasil, nos últimos anos, vem atuando de forma totalmente afastada com relação à temática, sem enfrentar a realidade brasileira de imensos subterfúgios ligados aos crimes contra a propriedade imaterial, seja pelo plágio, como também sob outros institutos, como a propriedade industrial, no que diz respeitos a dados empresariais, bem como a pirataria que cada vez mais se propaga, cada vez mais sendo mais incriminada.

O que se observa é o tão famigerado Simbolismo Penal como causador de prejuízos a curto prazo, uma vez que a atividade legislativa de elaborar leis e mais leis, quando já existem no plano prático dispositivos efetivamente capazes de combater os crimes como o plágio.

Para tanto, subvertendo a ordem de atuação do Direito Penal, que deveria ser a ultima ratio, este passa a ser o ponto principal de combate às condutas transgressoras que inserem-se no crime de plágio, tanto é verdade que, conforme ilustrado inicialmente, o plágio pode e é perfeitamente enquadrado no tipo legal do artigo 184 do Código Penal Brasileiro, mas o Projeto do Novo Código Penal (BRASIL, 2012) em seu artigo 172, §3°, traz o novo tipo penal descrito como Plágio Intelectual.

O que se defende não é a inércia legislativa, ao revés, o Direito enquanto instrumento de controle social deve acompanhar as mudanças coletivas ao seu redor, sob pena de ser artefato morto e sem expressividade, entretanto, tal atuação não se dá estritamente pela confecção de novas normas jurídicas, principalmente quando as existentes já seriam suficientes para a efetivação do combate ao crime de plágio.

Isso porque o Estado deve atuar através do pragmatismo e dirigismo comunitário pelo qual as Constituições, como um todo, desde a Revolução Francesa com o movimento Constitucionalista, a fim de que medidas públicas sejam meio de efetivação de direitos e deveres no campo social.

Conforme já largamente trabalhado, a função social da propriedade imaterial é assunto de direito público a ser debatido e protegido, tento em vista que mesmo que advindo de direito da personalidade interligado à criação intelectual, vale dizer que seus efeitos e benefícios ultrapassam a relação privada entre o autor e a obra, com finalidade de alcançar o desenvolvimento social que lhe ronda.

Assim, tem-se que não só é dever do professor e das universidades na propagação do sentimento autoral e da produção científica original, mas também do próprio Estado, seja brasileiro ou português, ou de qualquer outra nação, pois o conhecimento, principalmente balizado por experimento e análise científica, é amplamente capaz de trazer consigo vantagens sociais, econômicas e tecnológicas.

Desse modo, políticas públicas de incentivo à pesquisa e a produção científica são essenciais para que, na maioria das vezes, os jovens venham a romper a figura de expectadores do saber, passando a produzir conhecimento amplamente balizado pela cientificidade que possua.

Ainda, percebe-se que com políticas públicas neste sentido, os jovens se desenvolvem, desenvolvem o meio académico que faz parte com a inovação científica, bem como pode e deve beneficiar toda a coletividade ao qual está intrinsicamente interligado, como forma de extrapolar o incentivo estatal que recebe para si.

Nesta seara, fala-se em bolsas de estudo ou bolsas de patrocínio da produção científica, de modo que a pesquisa dotada de cientificidade venha a ser encarada como profecia a ser desempenhada na busca da efetivação da função social da propriedade intelectual, com vistas a potencializar estudantes, universidades, cidades, estados, países e até mesmo o mundo.

Dessa forma, mais do que confeccionando pilhas de legislações que não contam com esforço algum que não seja a assinatura de uma folha que publica a nova norma jurídica no cenário repleto de normas equivalentes, vale dizer que é na base estudantil jovem e académica que as nações devem investir a missão de produção de ciência, a título de que todo indivíduo tome para si a responsabilidade de trazer contributos para o meio à sua volta.

Parte II – Estudo Empírico

1

Metodologia

1.1 Justificativa e Objetivos da Investigação

A pesquisa encontra sua finalidade na necessidade de percepção real e prática acerca da visão dos alunos componentes desta amostra com vistas a avaliar sua dimensão de entendimento e condutas relacionados ao crime de plágio.

Ademais, a pesquisa objetiva verificar se os postulados teóricos aqui ventilados coadunam com a elucidação prática, principalmente no que diz respeito à ligação dos alunos com o mundo delituoso do plágio, bem como aos motivos determinantes que o declinam à utilização de cópias ilícitas.

Para tanto, foi verificado no projeto de investigação que antecipava a produção da presente tese de mestrado, no ponto do Estado da Arte, que poucos trabalhos existem tratando da presente temática, qual seja o crime de plágio, assim como pouquíssimos trabalhavam empiricamente com os alunos, o que demonstrou um pontapé inicial para a deslinde da presente pesquisa empírica.

Isso porque, conforme já verificado no enquadramento teórico, é possível depreender-se que os alunos são os maiores cometedores do delito do plágio, uma vez que encontram na academia a circunstância essencial para a recorrência a tais postulados ilícitos, qual seja a necessidade de produção que deveria científica, motivo pelo qual o alvo do estudo, embora se baseie no plágio como crime complexo, seja a imperiosidade da efetivação do combate ao crime de plágio de forma pontual, observando, com pesquisa de campo, as necessidades criminológicas e os fatores de proteção pelo qual possa se voltar nas faculdades.

Assim, a finalidade do estudo e da presente pesquisa empírica é justamente demonstrar a necessidade de iniciar debates, principalmente com os alunos, acerca dos malefícios e criminalidade inserida na prática de plagiar obras autorais.

Percebe-se, ainda, que o objetivo específico desta discussão empírica é justamente revelar, através do sigilo que resguarda as respostas dadas, o perfil dos alunos que cometem plágio e trabalhar de forma efetiva para a conscientização deles, seguindo a tendência autoral e toda sua função social demonstrada no enquadramento teórico.

Desse modo, com a contemporânea tese de mestrado, que não põe fim ao objeto de pesquisa do autor, qual seja a discussão acerca do crime de plágio e seu necessário enfrentamento, inicia-se uma reflexão crítica acerca do papel integrativo e social do alunado, professores e faculdades quanto à produção de ciência e todos seus contributos.

Assim, o presente trabalho não possui objetivo de esgotar totalmente o conteúdo a respeito da necessidade empírica de pesquisas com alunos nas faculdades acerca do crime de plágio, servindo apenas como modelo inspirador para outras contingências académicas, com fito de levar algum contributo ao seio social.

Os objetivos elencados, portanto, versam em dissertar acerca da Função Social da Propriedade Imaterial como enfoque necessário para estimular a Produção da Ciência que visa trazer testes, experimentos e comprovações que contribuam com o meio social a que se vive, observando que todo indivíduo pode ser cientista e tem dever de ser agente transformador de realidades sociais.

Portanto, a questão central de investigação será o real combate às práticas criminosas contra os direitos intelectuais como estímulo direto à produção de ciência que promove transformação social.

1.2 Caracterização do Estudo

A contemporânea investigação obedeceu a um desenho exploratório de caráter metodológico quantitativo e qualitativo, sobretudo, por seu real objetivo de generalizar comportamentos, reaplicando-se como ciência exata aos mais diversos contextos sociais semelhantes ao qual o tema estiver presente, bem como por ter utilizado doutrinas específicas a respeito do tema, que muito abarcou a parte teórica do presente trabalho.

O método investigativo quantitativo e qualitativo, hoje conhecido como método misto vem observar os fenômenos lógicos que experimentam a própria realidade ao qual o pesquisador está inserido, qual seja o ambienta acadêmico, com fito de ligar o aspecto teórico ao mundo dos fatos, prático, com evidencia ao alunado sobre sua percepção jurídica e social acerca do Crime de Plágio.

Assim, consequentemente, a Metodologia da Investigação Mista, na visão de Creswell e Plano Clark (2011), é definida como um procedimento de coleta, análise e combinação de técnicas quantitativas e qualitativas em um mesmo desenho de pesquisa. O pressuposto central que justifica a abordagem multimétodo é o de que a interação entre eles fornece melhores possibilidades analíticas que esta discussão requer.

Para a elaboração da pesquisa empírica final fora adotado, na pesquisa de campo, questionários no ambiente acadêmico/universitário com vistas a analisar o perfil estudantil no sentido de buscar as motivações extrínsecas e intrísecas, explicações, modos de burlar a Lei Penal e adentrar no mundo do plágio, bem como questionar a importância e credibilidade da ideia de realizar um trabalho científico e seus possíveis resultados, o que será explicitamente e criticamente demonstrado.

Ademais, fora devidamente utilizado o modelo exploratório, em segunda análise, também é dado espaço ao modelo explicativo,

93

justamente para alcançar a análise máxima da pesquisa empírica que se passa a esmiuçar.

1.3 Material/Instrumento de Recolha de Dados

Os instrumentos utilizados serão os questionários, livros e equipamento de informática que permitam a transmutação dos dados físicos em dados perfeitamente digitalizados, com fito de demonstrar a esta dissertação a fidelidade da informação colhida no início do mês de Junho de 2018.

O material utilizado para obtenção dos resultados a serem analisados foi Inquérito, concretizado pelo Guião de Perguntas que contém questionários sociodemográficos, bem como perguntas subjetivas a respeito do plágio que embasou a análise dos resultados a seguir expostos.

Tal Inquérito fora criado pelo próprio pesquisador com intuito de responder, de forma objetiva e clara, os perfis criminais do plágio no meio académico e, principalmente, os motivos internos e externos que tanto contribuem para o contínuo uso de cópias ilícitas.

Para tanto foram impressos o Termo de Consentimento e Declaração Esclarecida, com intuito de que os alunos participantes desta pesquisa autorizassem a utilização de suas respostas para a pesquisa, bem como fora impresso o Guião de Perguntas, contendo aspectos sociodemográficos iniciais e as perguntas que serviram de base para esta pesquisa empírica.

Após a coleta de dados, a amostra fora analisada e inicialmente descrita no mesmo dia da colheita dos dados através de análise direta das respostas, com uso do programa Microsoft Excel 2016, bem como a criação de tabelas e gráficos no Microsoft Word 2013 que permitiram a mais precisa explanação dos dados encontrados.

Além disso, a análise sucinta e individualizada do Guião de Pergunta de cada aluno busca evidenciar a correta ligação teórica com a parte prática, realizando reflexão crítica acerca dos resultados obtidos e se estes demonstram o aspecto jurídico e social do presente tema em comento, conforme será exposto logo a seguir.

Além da autorização prontamente garantida pela Comissão de Ética Científica da Universidade Fernando Pessoa e da apreciação positiva pelo Comitê de Pesquisa Académica da FAETE, local do objeto de estudo, vale dizer que todos os participantes tiveram em seus questionários o termo de consentimento livre e esclarecido, que comprovará o aceite voluntário e as resguardará quanto aos aspectos jurídicos e de sigilo, bem como o guião de perguntas contendo a individualização dos participantes apenas pelas iniciais dos seus nomes, tendo em vista que, por vezes, serão utilizadas nesta fase de apuração de resultados com manutenção do necessário sigilo.

Os dados obtidos foram analisados imparcialmente e de forma objetiva, de forma a entender a cultura acadêmica com relação à percepção e enquadramento dos Crimes de Plágio no contexto jurídico-social ao qual estão inseridos.

1.4 Procedimentos

Os passos tomados pelo pesquisador para o oferecimento e análise desta pesquisa diz respeito à sua categorização no mundo académico, qual seja de professor, o que despertou-lhe o interesse pelo estudo do crime de plágio na própria academia que leciona.

Vale dizer, neste intervalo, que o compromisso social e académico dos professores é o que move a presente análise crítica da pesquisa vergastada, com vistas a analisar o alunado que não está sob poder do pesquisador, como maneira de manter intocável e fidedigna a pesquisa empírica aqui obtida.

Assim, calha informar que os alunos do pesquisador são do 2° e 5° período do Curso de Licenciatura em Direito, o que não foi cogitado sua escolha de análise posto que tais discentes poderiam se sentir constrangidos com as perguntas contidas no Guião de Perguntas que apenas objetivam a veracidade das respostas.

Com isso, objetivando a fidelização das respostas com as devidas realidades académicas dos alunos foi que pensou-se e firmou-se a ideia de que o ideal seria o alunado objetivo da pesquisa empírica não ser discente do pesquisador.

Dessa maneira, logo imaginou-se os extremos do Curso de Licenciatura em Direito que estariam passando pela necessidade de produção científica, qual seja o 1º período, momento em que, na disciplina de Metodologia da Pesquisa Científica, estariam aprendendo a realizar resumos, sínteses, resenhas, fichamentos, entre outros elementos formais, e o 9º período que, como obtenção de nota a finalizar a graduação em Direito, devem apresentar Trabalho de Conclusão de Curso.

Desse modo, após autorização da Direção e Coordenadoria da Faculdade das Atividades Empresariais de Teresina – FAETE para a pesquisa, onde o pesquisador leciona, foram contatados os alunos do 1º período e 9º período primeiramente questionando suas respectivas possibilidades para, no dia 04/06/2018 (quatro de junho de dois mil e dezoito) responderem uma série de perguntas acerca do Crime de Plágio a ser utilizado na presente dissertação.

Nesse momento, logo foi requisitada autorização da Comissão de Ética da Universidade Fernando Pessoa, mais especificamente à Secretaria da Direção da Faculdade de Ciências Humanas e Sociais e Faculdade de Ciência e Tecnologia – FCT/FCHS, uma vez que se tratava de pesquisa com seres humanos que não podiam ser prejudicados nem atingidos de qualquer forma pelas pesquisas que podem vir a responder.

Neste diapasão, a Comissão da Universidade Fernando Pessoa tão logo, prontamente, autorizou a pesquisa, conforme segue em anexo ao presente conteúdo empírico, sem nada que impedisse a fiel realização do estudo.

Desse modo, conforme marcado, no auditório principal da respectiva Faculdade lócus da pesquisa, os alunos do 1º e 9º período compareceram e, após lido a Declarações e Termos de Consentimento Esclarecido, começaram a responder os questionamentos perpetrados no Guião de Perguntas, a ser, em seguida, analisados, com itens sociodemográficos e aspectos subjetivos que consistiam na análise empírica propriamente dita.

Assim, a pesquisa em conjunto ocorreu de forma que nenhum aluno pudesse manter diálogo com outro acerca das respostas ventiladas no guião de perguntas, com objetivo de que a fidelidade das respostas fosse condizente com a individualidade de cada alunado.

A pesquisa empírica, depois de iniciada, com a entrega em conjunto das Declarações e Termos de Consentimentos Esclarecidos, levou em média cerca de 50 minutos para finalização, pelo qual foi percebido o real envolvimento dos alunos para a marcação e escrita das respostas.

2.

Participantes e amostra

Para a investigação será utilizada como amostra, observando a população de alunos da Faculdade das Atividades Empresariais de Teresina – FAETE, os participantes da pesquisa de campo relativo aos questionários a serem feitos foram acadêmicos do 1° e 9° período do Curso de Licenciatura em Direito, dando enfoque a estes alunos uma vez que configura o momento de produção científica referente a fichamentos, projetos de pesquisa e Trabalho de Conclusão de Curso.

Vale dizer, neste momento, que a escolha da amostra se deu de forma amplamente intencional, objetivando obter a melhor explanação dos resultados a seguir ilustrados, uma vez que a análise de alunos de forma esparsa e sem norte de apreciação faria com que a pesquisa empírica não pudesse se basear em reiterações de conduta, consequentemente poderia não ter profundidade nas respostas.

Por isso, optou-se por observar, valendo-se da cultura e organização letiva local, os alunos supramencionados pelo imperativo motivo de que tais discentes estão iniciando sua vida académica, quando em análise os alunos do 1° período do Curso de Licenciatura em Direito e aqueles que estão finalizando seus estudos na graduação, qual seja os alunos do 9° período do referido curso.

Desse modo, passa-se à análise sociodemográfica da amostra, individualmente entre os alunos do 1° período, bem como análise particular dos alunos do 9° período, para que a riqueza de detalhes não se misture entre as duas amostragens.

2.1 Análise da Caracterização e do Resultado Sociodemográfica da Amostra

Inicialmente, vale dizer que estes alunos foram escolhidos para a realização da presente pesquisa científica, e também académica, pelo justo motivo de estes estarem adentrando, no caso do 1° período, e aqueles que estão deixando a vida academia jurídica, no caso do 9° período, que compõem o Curso de Licenciatura em Direito, bem como por ser o momento inicial e final de desenvolvimento de trabalhos científicos, principalmente no que se refere a tais pesquisas científicas como treinamento para apresentação do Trabalho de Conclusão de Curso, o que demonstra a necessidade de percepção destes alunos com a sua postura autoral e a configuração do crime de plágio no dia-a-dia.

Para tanto, fora explicitado a temática da pesquisa em voga, como parte empírica da presente dissertação, garantido o sigilo, de modo que os alunos, ao exporem apenas suas iniciais no guião de perguntas, poderiam livremente responder os questionamentos ali contidos, pelo qual se passa a expor desde aspectos sociodemográficos aos aspectos subjetivos escritos a mão pelos discentes que serão analisados em seguida.

Desta feita, vale dizer que se comprometeram à pesquisa 51 (cinquenta e um) alunos do 1° período e 24 (vinte e quatro) alunos do 9° período do curso de Licenciatura em Direito, totalizando, assim, 75 (setenta e cinco) alunos, pelo qual ficaram divididos da seguinte forma:

Alunos 1° Período:

Tabela I: Idade dos alunos do 1° Período (I)

IDADE (I)	AMOSTRA (A)
Menor que 20 anos	23 alunos

Entre 21 e 25 anos	11 alunos
Entre 26 e 30 anos	03 alunos
Entre 31 e 35 anos	03 alunos
Entre 36 e 40 anos	05 alunos
Maior que 41 anos	06 alunos

Conforme o analisado, de primeiro plano, percebe-se que a grande maioria, conforme-se já era de esperar, encontram com idade inferior a 20 anos, o que demonstra que realmente são a maioria que estão ingressando no referido curso. Tal massa, se observado o total de participantes refere-se a aproximadamente 45,1% do todo, quase que metade, o que demonstra grande peso da população jovem ingressante na academia.

Por seu turno, respectivamente, aqueles que estão entre 21 e 25 anos, 26 e 30 anos, 31 e 36 anos, 36 e 40 anos, e maiores que 41 anos, correspondem a porcentagem, observado o total de alunos entrevistados, as cifras aproximadas de 21,6%; 5,9%; 5,9%; 9,8% e 11,8%, perfazendo, assim, o total de 100% equivalente a população de 51 alunos participantes, com margem de erro de 0,1%.

Observada a idade dos participantes e sua real elucidação na resolutividade do presente questionário em análise, passa-se a explorar o gênero integrante dos alunos, com vistas a individualização quanto ao sexo masculino e feminino, se não veja-se:

Tabela II: Gênero (G) – Masculino (M) ou Feminino (F)

Gênero (G)	Amostra (A)
Masculino (M)	30 alunos
Feminino (F)	21 alunas

Conforme se observa o levantamento acima apontado, percebe que a população masculina respondente corresponde a aproximadamente 58,8% e a população feminina diz respeito a aproximadamente 41,2%, perfazendo, assim, o total de 100% dos 51 alunos.

Quanto ao estado civil, percebe-se que apenas três possibilidades foram marcadas pelos alunos, ou são solteiros ou são casados ou vivem em união estável ou marcam outras opções, conforme se percebe da exposição que segue:

Tabela III: Estado Civil (EC) da Amostra (A)

Estado Civil (EC)	Amostra (A)
Solteiro	35 alunos
Casado/União Estável	14 alunos
Divorciado	0 alunos
Viúvo	0 alunos
Outros	02 alunos

Assim, tem-se que os alunos solteiros correspondem a aproximadamente 68,6%, os casados/unidos estavelmente representam cerca de 27,5% e os alunos que marcaram outros como opção representam 3,9% do todo, enquadrando-se, assim, nos 100% dos 51 alunos.

Com relação às profissões descritas, percebe-se que a maioria, em análise conjunta com a idade observada na Tabela I, são apenas estudantes, mas outras profissões se repetem como é o caso de Professores, Autônomos e Servidores Públicos, além de outras isoladas que dizem respeito ao trabalho de Instrumentador Cirúrgico, Técnico de Informática, Agente de Portaria, Recepcionista, Representante de Vendas, Mecânico, Eletricista,

Radialista, Biólogo, Cobrador e Auxiliar Administrativos, assim descritos:

Tabela IV: Profissões (P) entre a Amostra (A)

Profissão (P)	Amostra (A)
Estudante	27 alunos
Professor	02 alunos
Autônomo	06 alunos
Servidor Público	05 alunos
Outros	11 alunos

Desse modo, observando principalmente as profissões que se repetem, percebe-se que os alunos que desempenham apenas a função de estudante correspondem a aproximadamente 52,9%, aqueles que são professores representam 3,9%, os autônomos concentram-se em 11,8%, os servidores públicos correspondem a 9,8% e as demais profissões isoladas demonstrados como "outros", com apenas um aluno de cada grupo acima transcrito conforme colheita dos dados, representam 21,6%.

Finalizando a colheita de dados sociodemográficos, foi questionado o tempo de cada aluno na educação, pelo qual se observou o respectivo resultado a seguir exposto:

Tabela V: Tempo de Atividades na Educação (TAE) da Amostra (A)

Tempo de Atividades na Educação (TEA)	Amostra (A)
Menos de 1 ano	14 alunos
Entre 1 a 3 anos	05 alunos

Entre 3 a 5 anos	05 alunos
Entre 5 a 10 anos	06 alunos
Mais de 10 anos	21 alunos

Percebe-se com as respostas dos alunos que os percentuais estarão bem divididos entre os extremos das respostas, isto é aqueles que se encontram no início no mundo académico, talvez por ser seu primeiro curso de licenciatura, bem como aqueles que já possuem largos anos de educação, talvez por estarem na segunda ou terceira licenciatura.

Assim, observa-se da amostragem que aqueles alunos com menos de 1 ano de tempo na educação perfaz o percentual de 27,5%, os que possuem entre 1 a 3 anos 9,8%, os que possuem de 3 a 5 anos 9,8%, de 5 a 10 anos a cifra de 11,8% e mais de 10 anos na educação representam aproximadamente 41,8%, com margem de erro de 0,7% para mais.

Neste diapasão, com a observância profunda dos dados coletados, percebe-se que a maioria dos alunos encontram-se com idade menor que 20 anos, na sua maioria são do gênero masculino, com estado civil de solteiros, sendo, geralmente, apenas estudantes, o que combina justamente com a idade, embora já pudessem trabalhar sem problema algum, o que não é mais comum que o trabalho na idade mais adulta, bem como a maioria considera possuir mais de 10 anos em contato com a educação.

Alunos 9º período

Tabela I.2: Idade dos alunos do 9º Período (I)

IDADE (I)	AMOSTRA (A)
Menor que 20 anos	0 alunos
Entre 21 e 25 anos	13 alunos

Entre 26 e 30 anos	03 alunos
Entre 31 e 35 anos	02 alunos
Entre 36 e 40 anos	02 alunos
Maior que 41 anos	04 alunos

Desse modo, diferentemente do que ocorrera com os alunos do 1º período em que sua grande maioria encontrava-se com idade menor que 20, referente a aproximadamente 45,1%, verifica-se, neste momento, que não existe nenhum aluno no penúltimo período de Licenciatura em Direito com a referida idade majoritário do início do curso.

Assim, percebe-se que entre 21 e 25 anos existem 13 alunos que representam 54,2% do total de alunos participantes, entre 26 e 30 existem 3 alunos, referente a 12,5%, entre o intervalo de 31 a 35, bem como no ínterim de 36 a 40, existem 2 alunos, que equivalem respectivamente a 8,33% cada, e por fim, os alunos participantes maiores que 41 anos, somando a quantidade de 4 alunos, representam 16,66%.

Observada a idade dos participantes no presente questionário em análise, passa-se a demonstrar o gênero integrante dos alunos, com vistas a individualização quanto ao sexo masculino e feminino, se não veja-se:

Tabela II.2: Gênero (G) – Masculino (M) ou Feminino (F)

Gênero (G)	Amostra (A)
Masculino (M)	09 alunos
Feminino (F)	15 alunas

Nesta quadra, percebe-se, mesmo que de forma inexpressiva para a pesquisa, mais uma diferença entre os dados do 1º período e 9º período, pois naquele existiam mais homens que mulheres, e neste ocorre justamente o contrário, pelo qual o quadro de mulheres representa 62,5%, enquanto que os homens referem-se a apenas 37.5%.

Quanto ao estado civil, percebe-se, novamente, que apenas três possibilidades foram marcadas pelos alunos, ou são solteiros ou são casados/união estável ou divorciado, conforme se percebe da exposição que segue:

Tabela III.3: Estado Civil (EC) da Amostra (A)

Estado Civil (EC)	Amostra (A)
Solteiro	16 alunos
Casado/União Estável	05 alunos
Divorciado	01 alunos
Viúvo	0 alunos
Outros	00 alunos

Assim, tem-se que os alunos solteiros correspondem a aproximadamente 66,7%, os casados/unidos estavelmente representam cerca de 20,8% e o único(a) aluno(a) que marcou divorciado(a) representa 4,2% do todo, de modo que ninguém se declarou viúvo ou marcou outra situação.

Com relação às profissões descritas, percebe-se que a maioria, igualmente aos alunos do 1º período, em análise conjunta com a idade observada na Tabela I, são apenas estudantes, mas outras profissões se repetem como é o caso de Servidores Públicos, Empresários, Professor, Promotora de Eventos, Técnico em Enfermagem, Atendente, Dona de Casa, Radialista, conforme seguem descritos:

105

Tabela IV.2: Profissões (P) entre a Amostra (A)

Profissão (P)	Amostra (A)
Estudante	13 alunos
Professor	01 alunos
Empresário	02 alunos
Servidor Público	03 alunos
Outros	05 alunos

Desse modo, observando principalmente as profissões que se repetem, percebe-se que os alunos que desempenham apenas a função de estudante correspondem a aproximadamente 54,2%, aqueles que são professores representam apenas 4,2%, os servidores públicos correspondem a 12,5%, empresário corresponde a 8,33% e as demais profissões isoladas demonstrados como "outros", com apenas um aluno de cada grupo acima transcrito conforme colheita dos dados, representam 20,8%.

Mais uma vez finalizando a colheita de dados pessoais, foi questionado o tempo de cada aluno na educação, pelo qual se observou o respectivo resultado a seguir exposto:

Tabela V: Tempo de Atividades na Educação (TAE) da Amostra (A)

Tempo de Atividades na Educação (TEA)	Amostra (A)
Menos de 1 ano	00 alunos
Entre 1 a 3 anos	02 alunos
Entre 3 a 5 anos	14 alunos
Entre 5 a 10 anos	00 alunos
Mais de 10 anos	8 alunos

Percebe-se com as respostas dos alunos que os percentuais não estão mais bem divididos como ocorreu com os alunos participantes do primeiro período, observando-se da amostragem que aqueles alunos com menos de 1 ano de tempo na educação não perfaz qualquer percentual, os que possuem entre 1 a 3 anos 8,33%, os que possuem de 3 a 5 anos 58,33%, de 5 a 10 anos não houve aluno entrevistado e mais de 10 anos na educação representam aproximadamente 33,33%, com margem de erro de 0,1% para mais.

Com isso, através da análise minuciosa dos dados sociodemográficos é possível perceber que a maioria dos alunos encontram-se com idade entre o intervale de 21 a 25 anos, que demonstra a média brasileira de conclusão de graduação, possuindo como maioria as mulheres, sendo, em geral, solteiros, estudantes e que possuem tempo na educação, de forma expressiva, no montante que ronda entre 3 e 5 anos e mais de 10 anos.

3.

Apresentação e discussão dos resultados

Precipuamente, vale dizer que a presente análise se dividirá, num primeiro plano, com fito de uma real dimensão das respostas a serem expostas, no debruçar crítico acerca das marcações isoladas dos alunos do 1º período e 9º período, sendo que depois será analisado em conjunto a amostragem mencionada.

Assim, tal forma de observação busca individualizar a pesquisa de campo tanto no que diz respeito aqueles que estão entrando no curso de Licenciamento em Direito, qual seja os alunos do 1º período, quanto daqueles que estão concluindo este grau académico, os ora alunos do 9º período.

O objetivo é justamente observar no caso concreto a percepção do crime de plágio, suas formas, sua real dimensão, o papel social do aluno, a responsabilidade do professor e da universidade acerca da temática, bem como o aspecto do olhar subjetivo do alunado perante as perguntas de cunho escrito, demonstrando uma análise qualitativa, de modo que permite a exposição ilimitada das percepções individuais de cada discente no meio académico ao qual está inserido.

Passa-se, neste momento e desse modo, a explorar as respostas dos alunos do 1º e 9º período isoladamente, inicialmente, conforme fora supracitado e, comentando o nível global dos resultados obtidos num modelo, por vezes e quando cabível, comparativo.

3.1 Resultados obtidos com Alunos do 1º Período em Licenciamento em Direito

Neste momento, será explanado, além dos resultados numéricos colhidos, o intuito da existência de cada questionário e, possivelmente, por vezes, a elucidação multilateral e conjunta das respostas, afim de que os resultados práticos sejam analisados de forma crítica e a possibilitar traçar perfis académicos consoante ao delito do plágio.

Assim, o primeiro questionamento realizado, de forma direta, é a frequência pelo qual o aluno participante recorre ao crime de plágio para realização de trabalhos académicos, com fito de verificar, ainda que de forma isolada, o pronunciamento, ou não, dos alunos na confissão da prática delituosa.

Desse modo, primeiramente, observa-se os resultados numéricos da pesquisa em porcentagem: 13 alunos declaram que nunca recorrem ao plágio, inserindo-se em 25,5%; 15 alunos marcam que raramente recorrem ao plágio, com cifra numérica de 29,4%; 21 alunos assumem que, por vezes, se valem do plágio para realização de trabalhos académicos, isto é, 41,8%; 02 alunos afirmam que frequentemente, isto é, de forma repetida, mas não sempre, se utilizam do plágio como forma de realizar trabalhos académicos, representando 3,9%, e nenhum aluno respondeu que sempre se utiliza do plágio.

Com isso, buscando melhor expor como seria a elucidação dos resultados supracitados é que se demonstra graficamente os valores acima desenhados, conforme se demonstra com a imagem a seguir delineada:

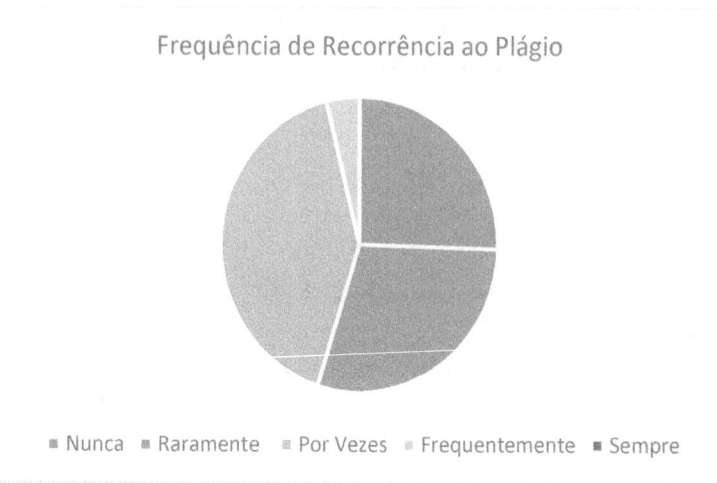

Seguindo adiante com a Análise dos dados colhidos, passa-se a enfrentar a observação da segunda pergunta empírica, no que diz respeito à Frequência de Cópias de Trabalhos já feitos na Internet, pelo qual se demonstra importante para individualizar mais o questionamento acerca da recorrência dos alunos ao plágio e a forma de consecução desta conduta delituosa, qual seja no meio eletrônico.

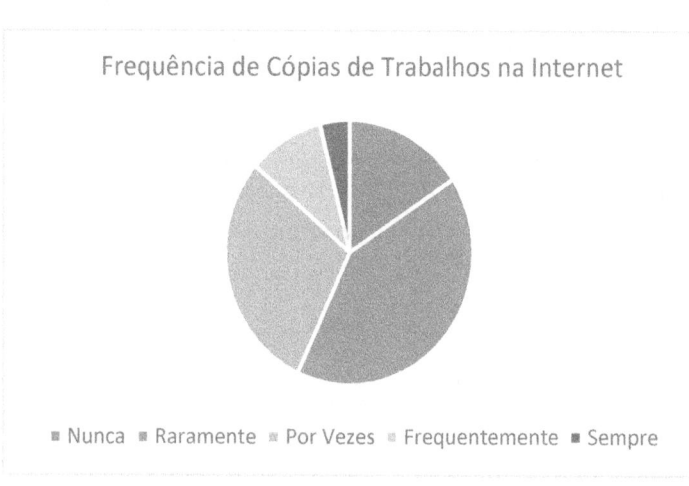

Desse modo, conforme se depreende do gráfico acima demonstrado, vale dizer que a exposição percentual individualizada das respostas é de: Nunca – 8 alunos: 15,7%; Raramente – 21 alunos: 41,8%; Por Vezes – 15 alunos: 29,4%; Frequentemente – 5 alunos: 9,8%; e Sempre – 2 alunos: 3,8%, com margem de erro de 0,5%.

Embora num primeiro plano chame atenção o numerário de confirmação de que 84,3% dos alunos se utilizam da internet como meio de recorrência do crime de plágio, vale ressaltar que alguns alunos, com larga e profunda observação, não conseguem se manter firmes quando observados o primeiro questionamento e este segundo.

O que se quer dizer é que vários alunos primeiramente marcam que nunca se recorrem ao crime de plágio, mas na segunda questão ao serem questionados a respeito de cópias feitas na internet muitos dissertam que raramente, por vezes, frequentemente recorrem ao plágio pelo meio cibernético, e até mesmo em 02 casos demonstram que sempre fazem isso.

Tais menções dizem respeito, observando o anexo juntando os questionários respondidos, aos alunos com iniciais de L.R.S, F.H.V.R., M.V.D, M.W.S., A.V.D.S.D, V.R.S, C.A.P., dispõem na primeira pergunta que NUNCA se utilizaram do plágio para realização de trabalhos académicos, mas que raramente copiam trabalhos já feitos na internet.

Ademais, ainda observando tais respostas, é possível notar mais incongruências na resposta do(a) aluno(a) com iniciais de L.A.R.M., dispõem na primeira pergunta que NUNCA se utilizaram do plágio para realização de trabalhos académicos, mas que por vezes copia trabalhos já feitos na internet.

Tal constatação analítica individualizada das respectivas respostas demonstram que os próprios alunos muitas vezes desconhecem o que seria o plágio e suas formas de ocorrência, fazendo crer, ao responder que nunca recorrem ao plágio como fonte realizadora de trabalho, que copiar textos na internet não corresponde ao plágio, mas sim conduta permissiva ou comum, o que não deveria ser.

Desse modo, não bastando tais respostas contraditórias, quando da análise da terceira pergunta, que diz respeito a cópia de trechos de trabalhos já feitos, a incongruência se revela ainda maior, conforme se expõe:

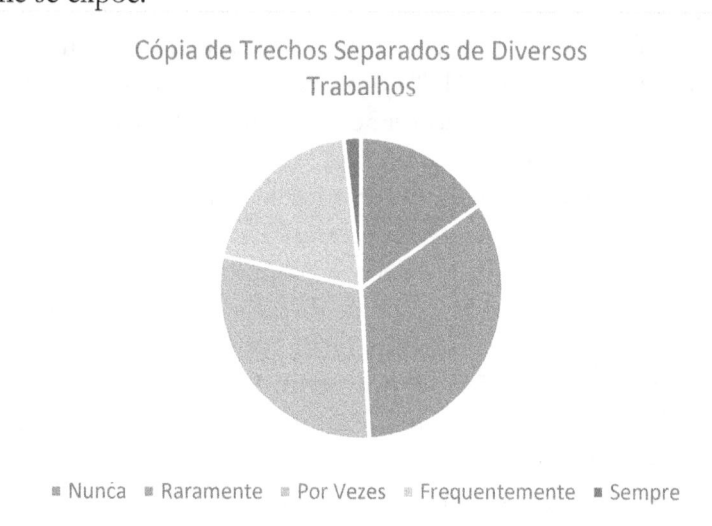

Cópia de Trechos Separados de Diversos Trabalhos

■ Nunca ■ Raramente ■ Por Vezes ■ Frequentemente ■ Sempre

Conforme se vislumbra do gráfico delineado, indica-se, mais precisamente, as devidas porcentagens de cada resposta auferida, o que se expõe: Nunca – 8 alunos: 15,7%; Raramente – 17 alunos: 33,3%; Por Vezes – 15 alunos: 29,4%; Frequentemente – 10 alunos: 19,6%; e Sempre – 1 aluno: 2%.

Mais uma vez, conforme verificada da comparação do primeiro questionamento acerca do cometimento do crime de plágio para realização de trabalhos académicos com esta terceira questão, percebe-se a contradição e/ou desconhecimento dos alunos perante as formas pelo qual o plágio se exterioriza.

Assim, verifica-se que E.M.M., L.A.R.M., A.V.D.S.D., M.W.S., M.V.D., F.H.V.R, denotam, ao responder o primeiro questionamento que nunca recorrem ao plágio para realização de

112

trabalho académico, mas marcam que raramente, o que denota uma prática mesmo que longínqua, de cópias de trechos de diversos textos que caracterizam, também, o crime de plágio.

Não bastando, C.A.P., V.R.S. também marcam que nunca recorrem ao crime de plágio, mas aduzem, na terceira resposta, que por vezes se utilizam de cópias de trechos de diversos textos.

Prosseguindo com a análise empírica, verifica-se que, diante da quarta pergunta, a maciça maioria dos alunos, ao serem questionados sobre a compra de trabalhos académicos já feitos, responderam negativamente a tal prática, com 45 alunos respondendo que nunca aderiram a tal conduta, representando aproximadamente 88,3% dos respondentes.

Ainda, 4 alunos responderam, insurgindo-se em 7,9%, que raramente compram trabalhos académicos feitos por terceiros e 01 aluno assumiu que, por vezes, comete tal conduta, representando 2%, motivo pelo qual faria o gráfico representativo surgir da seguinte forma:

Trabalhos Comprados Elaborados por Outros

■ Nunca ■ Raramente ■ Por Vezes ■ Frequentemente ■ Sempre

Dessa forma, observa-se que pouquíssimos alunos, num total de 5 alunos, aproximadamente apenas 9,9%, confirmam que já compraram trabalhos elaborados por outros, denotando em cristalina prática de plágio, conforme já exposto.

Adentrando-se cada vez mais na atuação académica do alunado, pergunta-se, no quinto questionamento se o discente participante, quando utiliza trabalhos da internet, tem a preocupação de citar a fonte da pesquisa, conforme se observa as interessantes porcentagens: Nunca – 12 alunos: 23,5%; Raramente – 11 alunos: 21,7%; Por Vezes – 11 alunos: 21,7%; Frequentemente – 2 alunos: 3,9%; Sempre – 15 alunos: 29,4%.

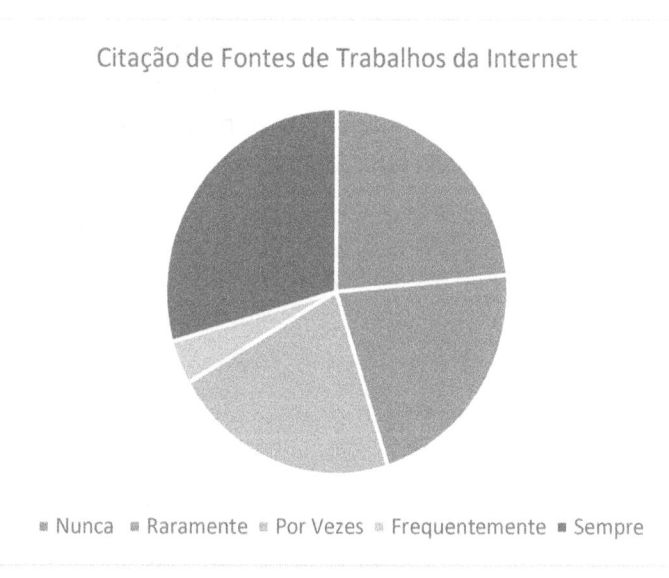

Citação de Fontes de Trabalhos da Internet

■ Nunca ■ Raramente ■ Por Vezes ▨ Frequentemente ■ Sempre

Ademais, se perguntados acerca dos métodos acerca da identificação do plágio por parte da Universidade pelo qual estão ligados, qual seja a Faculdade das Atividades Empresariais de Teresina – FAETE, responderam a maioria, representados por 38 alunos, equivalente a 74,5%, que não sabem o caminho tomado pela faculdade, contra 13 alunos, representando 25,5%, que afirmam conhecer as formas de identificação do delito em comento, ficando dividido da seguinte forma:

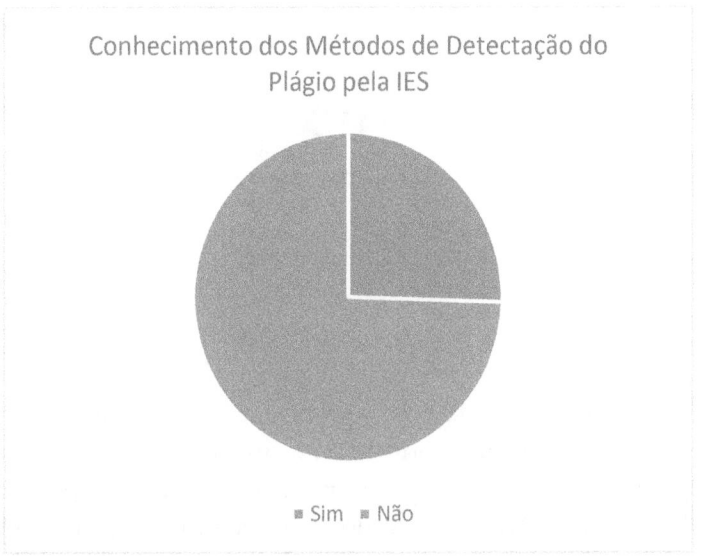

Tal desconhecimento excessivo acerca dos métodos de análise de deflagração do crime de plágio é algo deveras positivo, algo que a Faculdade pode usar em seu favor para fiscalizar as condutas de utilização de cópias ilícitas, sem que seu alunado necessariamente saiba.

Adentrando-se no grande clímax da presente pesquisa empírica, momento em que é questionado aos alunos participantes a contribuição que o plágio traz para o conhecimento científico dos próprios discentes, a resposta chega a surpreender o pesquisador, tendo em vista que há um numerário substantivo e considerável pelo qual considera o delito em tela como contributo ao desenvolvimento do aluno, se não veja-se:

Contribuição do Plágio para o Conhecimento Científico

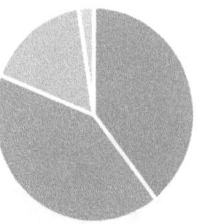

■ Não Concordo   ■ Concordo Parcialmente

■ Concordo   ■ Concordo Plenamente

Com isso, verifica-se com o gráfico acima que existe uma parcela considerável, conforme adiantado acima, que opina no sentido do plágio contribuir para o conhecimento empírico, nas porcentagens que se expõe: Não Concordo – 19 alunos: 37,3%/ Concordo Parcialmente – 20 alunos: 39,2%; Concordo – 8 alunos: 15,7%; e Concordo Plenamente – 4 alunos: 7,8%.

Ademais, surpreendentemente, ainda nos supostos contributos advindos da prática de plágio, foi perguntado se tal conduta ilícita refletia no aumento da nota do alunado, pelo qual 14 alunos, representando 27,5%, respondera que nunca tal prática contribuiria com o aumento narrado, 15 alunos, referente ao montante de 29,4%, votaram que concordam parcialmente no sentido de que as cópias ilícitas trazem vantagens qualitativas à nota dos discentes, 17 alunos, referindo-se a 33,33%, votaram que concordam com tal aumento de nota através do plágio, e 5 alunos, representando 9,8%, responderam que concordam plenamente que o crime em discussão aumenta a nota do alunos.

Tal representação gráfica choca na medida que, se observado o conjunto das respostas, a maioria dos alunos acreditam, de alguma forma, que o plágio é instrumento de conseguir aumentar a nota, o

116

que mostra que muitas vezes, confirmando as hipóteses motivadoras expostas na parte teórica deste trabalho, que as cópias ilícitas são utilizadas como obtenção de valor aprovativo quanto aos exames académicos, se não veja-se:

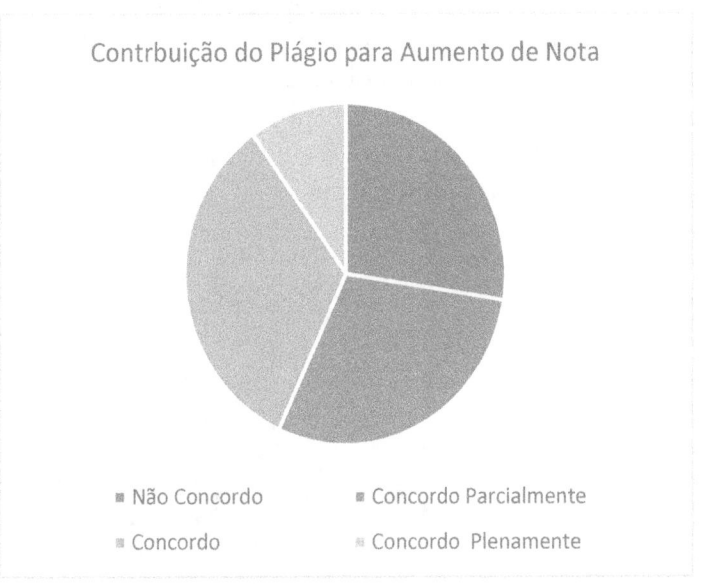

Contrbuição do Plágio para Aumento de Nota

■ Não Concordo   ■ Concordo Parcialmente
■ Concordo   ■ Concordo Plenamente

Com tais amostragens referentes exclusivamente entre a relação aluno e seu trabalho académico percebe-se que o corpo discente muitas vezes não percebe que sua conduta, ou se percebe, age de má-fé, enquadra-se no tipo penal que circunscreve a prática de plágio, justamente por optar por tal conduta pela falta de tempo, facilidade ou por desejo de repercussão direta na nota, conforme ainda se observará com a análise das respostas subjetivas desta pesquisa empírica.

Nesta quadra, revela-se deveras importante e necessário a concreta atuação em conjunto dos professores e universidade com os alunos, o que percebe-se com as respostas perpetradas no nono e décimo questionamento.

A questão nove traz consigo a afirmativa de que os professores, em síntese, oferecem, nesta universidade objeto da pesquisa, insumo suficiente para a consulta de obras e a produção científica sem a necessidade de recorrência ao crime de plágio.

Neste ponto, a maioria dos alunos celebram que os professores desta IES alvo da pesquisa empírica, qual seja a FAETE, ensinam os alunos a consultar obras diversas e moldam como a produção textual deve ocorrer sem subterfúgios ao crime de plágio, conforme se demonstra no gráfico e, em seguida, nas porcentagens colhidas com as respostas da amostragem:

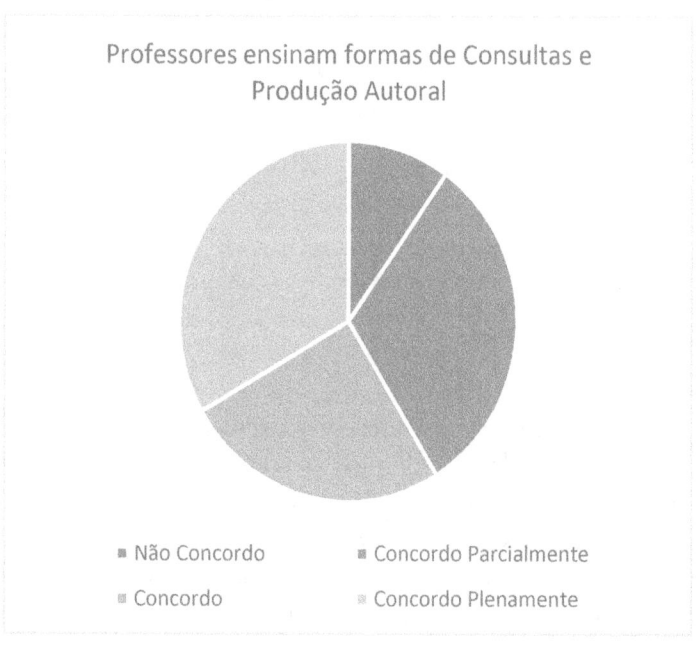

Professores ensinam formas de Consultas e Produção Autoral

- Não Concordo
- Concordo Parcialmente
- Concordo
- Concordo Plenamente

Percentualmente, 5 alunos, equivalente a 9,8%, dizem que não concordam com a afirmação ventilada; 16 alunos, representando 31,4% concordam parcialmente com a afirmação de que os professores cumprem esta missão de incentivo à consulta a obras científicas e produção autoral, 13 alunos, referente a 25,5%, respondem que concordam que os docentes da FAETE indicam os métodos de produção científica e, por fim, 17 alunos, representando 33,33%, concordam plenamente que o corpo de educadores passam adiante o conhecimento cientifico para a devida produção autoral.

Ainda, a décima afirmação extrapola a figura do docente como único responsável direto pelo ensino e estímulo à produção autoral, transpassando tal função também à Universidade, motivo pelo qual se observa os resultados das respostas dos alunos.

Apenas 1 aluno afirma não concordar, sendo ínfimo 2%, com o dever da universidade em conscientizar seus corpo discente sobre o plágio e as sanções desta prática, enquanto que 3 alunos, representando 5,9%, afirmam concordar parcialmente com tal premissa, 21 alunos, referente a 41,2%, concordam com importância na atuação esclarecedora das Universidades, bem como 26 alunos, 51%, concordam plenamente que tal dever deve existir como norte das faculdades.

Tal explanação da amostragem fica graficamente representado desta maneira:

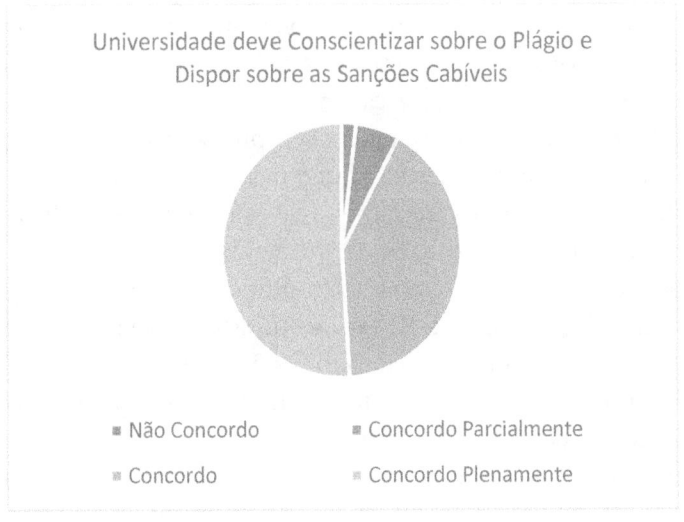

Universidade deve Conscientizar sobre o Plágio e Dispor sobre as Sanções Cabíveis

- Não Concordo
- Concordo Parcialmente
- Concordo
- Concordo Plenamente

Superada tal análise meramente quantitativa, por resposta a perguntas e opiniões acerca de afirmações já prontas, passa-se a análise das perguntas propositalmente abertas que permitiram a elucidação mais subjetiva e qualitativa dos alunos participantes.

Quando questionado, na décima primeira questão, o conceito de plágio, muitos rondaram as respostas dos alunos, desde a conceituação básica de que se trata de cópia fiel, sem referenciar ou qualquer outro modo de indicação de autoria à constatação de que se trata de conduta eminentemente proibida.

Observando individualmente as respostas percebe-se que algumas denotam a categorização do crime de plágio justamente como ofensa ao bem jurídico que o tipo penal vislumbra proteger, qual seja a propriedade intelectual, como bem acentua A.A.F.C. ao dispor que "o plágio consiste no roubo da produção científica e intelectual do outro".

Outra resposta que bem chama atenção é o simples reconhecimento de que o plágio é algo proibido, como bem pontua N.S.A.P, ao comparar o delito em comento com o crime de pirataria. Entretanto, este(a) mesmo(a) participante confessa na sua primeira questão, que levanta a problemática de que o aluno venha, ou não a recorrer ao plágio para os trabalhos académicos, que, por vezes, recorre-se ao plágio académico.

Tal passagem denota que nem sempre ocorre o crime de plágio pelo puro desconhecimento, o que mostra muitas vezes o caráter pessoal do aluno, em sabendo que tal prática constitui ilícito penal, ainda se vale da mesma no meio académico.

Noutra senda, sem se ater ao caráter como caractere englobado da prática de plágio, J.F.S.R. expõe que as cópias ilícitas constituem prática social comum ao qual todos estão passíveis de se enquadrar, tanto é que assume, na primeira, segunda e terceira questão que se vale frequentemente do plágio.

Tal passagem demonstra, conforme já exposto, que o plágio muitas vezes encontra-se sedimentado na cultura, tendo em vista a pouca relevância dada a questões científicas, como se objetiva combater com a presente pesquisa.

Ainda na décima primeira questão, dois(duas) alunos(as), A.A.C.A. e E.A.C. deixaram de responder ao questionamento relativo ao conceito de plágio, abrindo a hipótese de que a categorização teórica de tal ilícito ainda é desconhecido por muitos, isso porque, no Brasil, conforme demonstrado pelo artigo 184 do Código Penal, ainda não existir o crime específico de Plágio Intelectual, como bem está arquitetado no Projeto do Novo Código Penal, conforme já explanado.

Demonstrando a importância da pesquisa empírica para um trabalho científico, a décima segunda questão amplia os possíveis motivos que venham a fazer com que o alunado se recorra ao crime de plágio.

Muitas foram as respostas qualitativas nesta questão, havendo momentos em que os alunos participantes expusessem mais de uma resposta, demonstrando, conforme dito outrora, que existem muitos motivos intrínsecos e extrínsecos que fazem com que os discentes adentrem no mundo delituoso do plágio.

Insegurança, falta de conhecimento, dificuldade com trabalhos académicos são motivos expostos, conforme anexado, que expõem limitações subjetivas dos alunos que, embora possam lutar para superá-las, preferem o caminho mais fácil e menos rentável pra si e para a sociedade que é a utilização de cópias ilícitas.

Atrelado a tal despreparo dos alunos, J.A.N.D. expõe que os professores não motivam os alunos a realizarem a pesquisa, o que demonstra nitidamente seu descontentamento tal situação em que estipula no professor como um dos causadores do problema, sem observar que o despertar científico pode ser alcançado individualmente.

Tanto é verdade que a justificativa ligada à preguiça é bastante preponderante, bem como a narrativa de falta de tempo para a construção de trabalho académico dotado de cientificidade autoral.

Ainda, é narrada a praticidade como forma de recorrência ao crime de plágio, tendo em vista que, possivelmente, o trabalho académico possa vir exatamente pronto e sem esforço por parte do plagiador, esquecendo este que vem também sem qualquer inovação e, consequentemente, inovação científica e contribuição social

.S.S.S. narra que o fator preponderante para o cometimento e recorrência ao crime de plágio é a "falta de comprometimento, falta de caráter, falta de sanções efetivas e um controle leniente acerca do plágio académico, sobretudo, nas faculdades".

Isto é, para tal aluno(a) a conivência e pulso macio por parte dos professores e universidade, no aspecto da ausência de sanções efetivas, é um importante combustível de comodismo às recorrências pelo plágio.

No que tange ao questionamento final, qual seja a décima terceira, que não deixa de ter nítida relação com o exposto, é questionado, quais são as medidas tomadas pelo professor/universidade quando o plágio é enfim descoberto.

A maioria das respostas que circundam tal enunciado dizem respeito diretamente à anulação do trabalho científico, com possibilidade de "zerar a nota", como bem coloca L.M.L.S. ao fazer menção às provas e exames realizados, nitidamente confundindo plágio académico nos trabalhos científicos com pescas e colas no momento das avaliações.

Outras atitudes, com a leitura individual das respostas, aparecem, mesmo que de forma esporádica, como é o caso da explicação das consequências do ato do plágio para o aluno, bem como o ensino do procedimento correto, com a respectiva chance de refazer o trabalho sem cientificidade.

Conforme todo o exposto, verifica-se, neste primeiro momento, conforme já mencionado, que os alunos do 1º período do curso de Licenciatura em Direito possuem uma visão muito geral e ampla do crime de plágio, o que faz com sua multilateralidade se aflore e possibilite uma macro análise das incongruências que demonstram o desconhecimento do que seria ou não cópias ilícitas, bem como o reconhecimento de que o plágio é prática, no mínimo, errada.

Passa-se, neste momento, à análise das respostas acerca do mesmo questionário aqui exposto por parte dos alunos participantes do 9º bloco, com vistas a observar, novamente de forma neutra e imparcial, apenas interpretando as repostas de forma crítica e analítica, o crime de plagio na visão daqueles que estão apresentando o Trabalho de Conclusão de Curso – TCC como meio de obtenção de nota, requisito para o término da graduação.

3.2 Resultados obtidos com Alunos do 9º Período em Licenciamento em Direito

Dessa maneira, adentra-se na pesquisa empírica originalmente assim constituída, de modo a analisar as mesmas respostas dadas pelos alunos do 1º período, a nível de elucidação individualizada dos alunos do 9º e, por vezes, comparações naquilo que couber.

A primeira questão, como já sabido, pergunta sobre a frequência pelo qual os alunos se recorrem ao plágio para apresentação de trabalhos académicos, pelo qual obteve-se a respectiva estatística: Nunca – 11 alunos: 45,8%; Raramente – 5 alunos: 20,8%; Por vezes – 7 alunos: 29,2%; Frequentemente – 1 aluno: 4,2%, representando os 24 alunos, equivalente aos 100%, entrevistados.

Estatisticamente, a título de explanação mais visível, demonstra-se o gráfico representativo de tais dados:

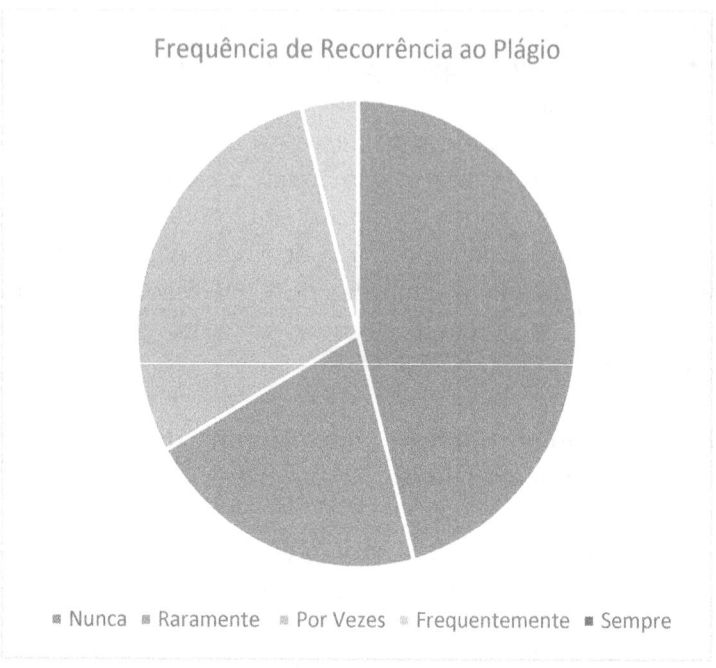

Frequência de Recorrência ao Plágio

■ Nunca ■ Raramente ■ Por Vezes ■ Frequentemente ■ Sempre

Desse modo, percebe-se que 13 alunos, mesmo na conclusão da Licenciatura em Direito, ainda confessam a recorrência ao crime de plágio de alguma maneira, seja de forma rara, por vezes ou de forma frequente, o que evidencia que o uso de cópias ilícitas pode perdurar do início do curso de graduação até a sua conclusão se nenhuma medida efetiva, conforme propõe o presente trabalho, for tomada.

Passando-se adiante, percebe-se o enfrentamento da segunda questão, que traz o questionamento de que frequência o alunado participante se utiliza de trabalhos prontos na internet, o que se observa pela colheita de tais respostas: Nunca – 9 alunos: 37,5%; Raramente – 8 alunos: 33,33%; Por vezes – 5 alunos: 20,8%; Frequentemente – 2 alunos: 8,33%; e Sempre – 0 alunos.

O gráfico, que melhor expõe as devidas dimensões e proporções dos resultados obtidos fica do seguinte modo:

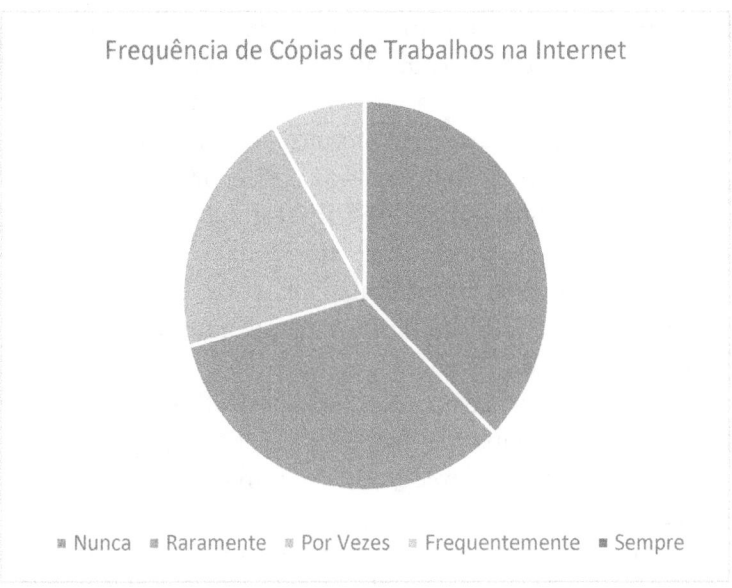

Frequência de Cópias de Trabalhos na Internet

▪ Nunca ▪ Raramente ▪ Por Vezes ▪ Frequentemente ▪ Sempre

Percebe-se que, em comparação com o gráfico anterior dos alunos do 1º bloco, uma leve decaída quanto a confissão, pelos alunos investigados, acerca do uso de trabalhos já feitos na internet, talvez por ser o momento único que realmente exige a produção concreta de trabalho científico, qual seja o Trabalho de Conclusão de Curso – TCC.

Ainda, assim como é possível notar a ausência de percepção clara acerca do plágio pelos alunos do 1º período no que diz respeito às comparações de respostas entre a primeira questão e a segunda, denota-se, mais uma vez, uma ruptura incongruente da marcação com a anterior pergunta por parte de J.R.R.L.M. e L.C.C. que expõem que nunca tem frequência de utilização de plágio, mas confessam na segunda questão que, embora raramente, copiam trabalhos já feitos na internet.

Diuturnamente, L.G.S.C. e L.V.S.F também cometem incongruências nas suas respostas, ao marcar na primeira questão que nunca se recorrem ao plágio para apresentação de trabalhos académicos, mas marcam no segundo questionamento que, por vezes, copiam trabalhos prontos na internet.

Ademais, no tocante ao terceiro questionamento, observados as respostas dadas, quais sejam: Nunca – 4 alunos: 16,66%; Raramente – 8 alunos: 33,33%; Por Vezes – 8 alunos: 33,33%; Frequentemente – 4 alunos: 16,66%; e Sempre com 0 alumos, também percebe-se a continuidade na contradição respondida em face da primeira marcação na questão inicial, por parte de F.S.M., F.M.P.S., J.R.R.L.M., e R.C.S. ao disporem que raramente se utilizam de cópias prontas da internet.

Não sendo suficiente, ainda é possível vislumbrar incoerência dos alunos participantes L.V.S.F., L.C.C. e L.G.S.C. ao disporem que, por vezes, se recorrem a trabalhos já feitos no meio cibernético.

Tal estatística fica melhor reproduzia no gráfico a seguir:

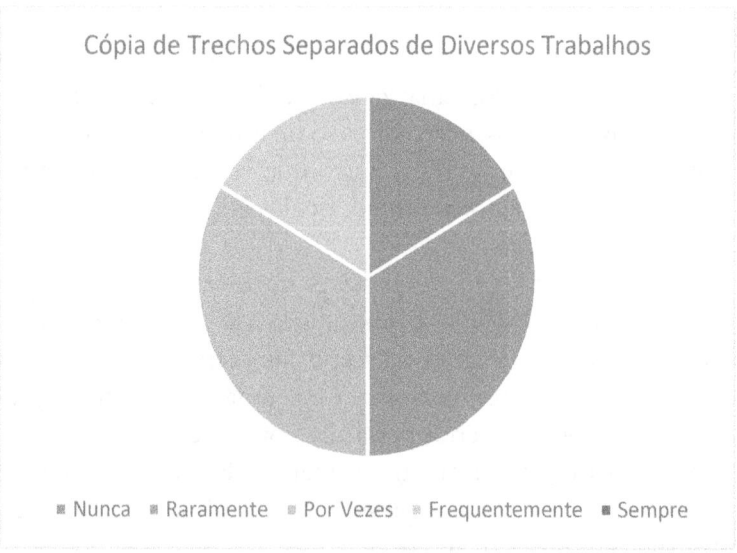

Cópia de Trechos Separados de Diversos Trabalhos

■ Nunca ■ Raramente ■ Por Vezes ■ Frequentemente ■ Sempre

Passando a análise da quarta questão, percebe-se o mesmo perfil por conta dos alunos do 1º período, qual seja na sua maioria, representada por 21 alunos, qual seja 87,5%, por responder que nunca possuíram a prática de comprar trabalhos feitos por outra pessoa, contra 1 aluno, equivalente a 4,2%, que aduz que raramente recorre à compra de trabalhos prontos por terceiros e 3 alunos, referentes a 12,5%, que por vezes inserem-se nesta conduta, o que fica demonstrado pelo gráfico que segue:

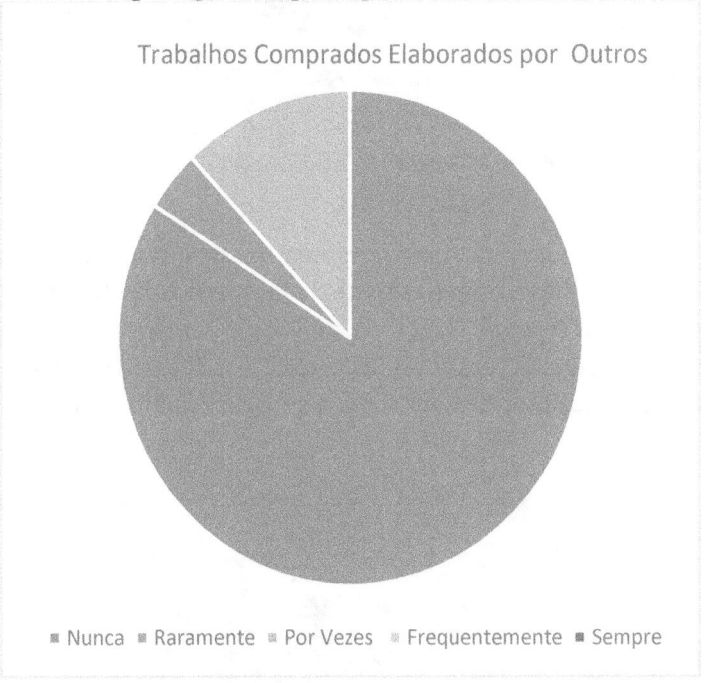

O quinto questionamento trabalha, conforme já exposto, o nível do senso de responsabilidade dos alunos em citarem as fontes de onde seu trabalho acadêmico foi retirado, conforme observou-se que: Nunca – 0 alunos; Raramente – 3 alunos: 12,5%; Por Vezes – 4 alunos: 16,66%; Frequentemente – 2 alunos: 8,33%; e Sempre – 15 alunos: 62,5%, pelo qual se reproduz graficamente:

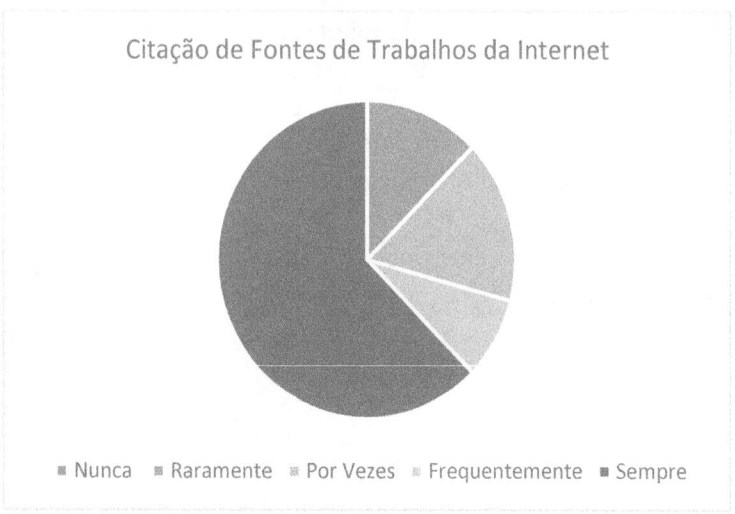

Questionados, na sexta pergunta, se sabem as providências de identificação do plágio por parte da Universidade alvo do objeto de estudo, qual seja a FAETE, os alunos participantes se dividiram da seguinte maneira: Sim – 5 alunos: 20,8% e Não – 19 alunos: 79,2%. Tal estatística gráfica representa a subsequente imagem:

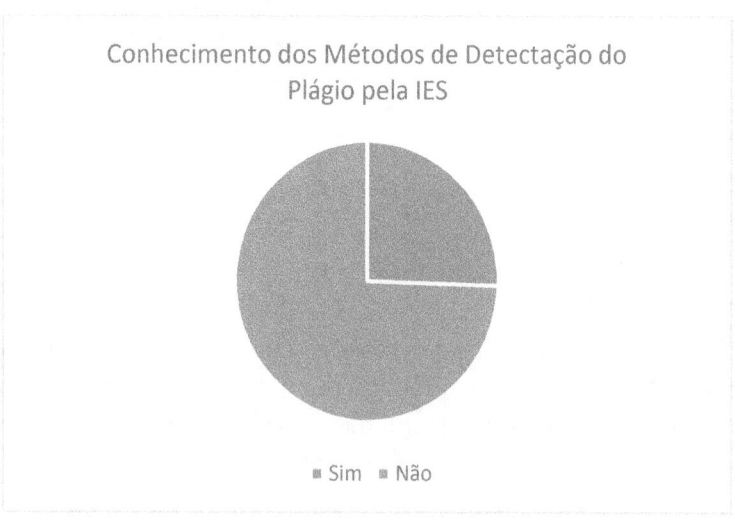

Transpassando a análise de afirmativas proposital e devidamente elencadas acerca da percepção opinativa dos alunos do 9º participantes, chega-se à sétima questão, em forma de explanação, pelo qual o pesquisador busca conhecer a noção do alunado no sentido de o plágio contribuir ou não, em que nível de contributo, para o conhecimento científico dos mesmos, pelo qual se obteve a seguinte porcentagem: Não Concordo – 12 alunos: 50%; Concordo Parcialmente – 8 alunos: 33,33%; Concordo – 1 aluno: 4,2%; e Concordo Plenamente – 3 alunos: 12,5%.

A representação gráfica, que melhor indica as proporções das respostas, põe-se da seguinte maneira:

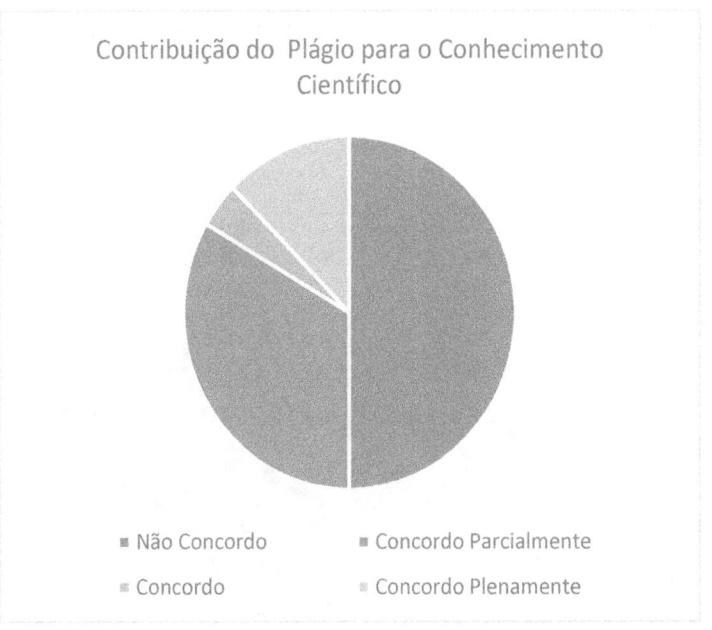

Assim, percebe-se que apenas metade dos alunos investigados creem que o plágio não contribui para o conhecimento científico, ao passo que a outra metade considera, mesmo que minimamente, algum contributo desta prática delituosa à cientificidade dos discentes, demonstrando mesmo dos alunos do 1º período ao, também, dissertarem sobre este abismo constatado.

Demonstra que, além de tudo, que o alunado que está concluindo a Licenciatura em Direito, acredite que o crime de plágio que estudam durante a grade curricular deve ser legitimado por trazer benefícios ao próprios alunos, ligado, pasmem, ao conhecimento científico.

Nesta seara, ainda percebe-se, com a oitava questão, de modo afirmativo, que alguns alunos acreditam que, de alguma forma, o plágio serve de escada para as notas em avaliações, testes ou exames, quais sejam pela colheita dos dados: Não Concordo – 15 alunos: 62,5%; Concordo Parcialmente – 6 alunos: 25%; Concordo – 2 alunos: 8,33%; e Concordo Plenamente – 1 aluno: 4,2%.

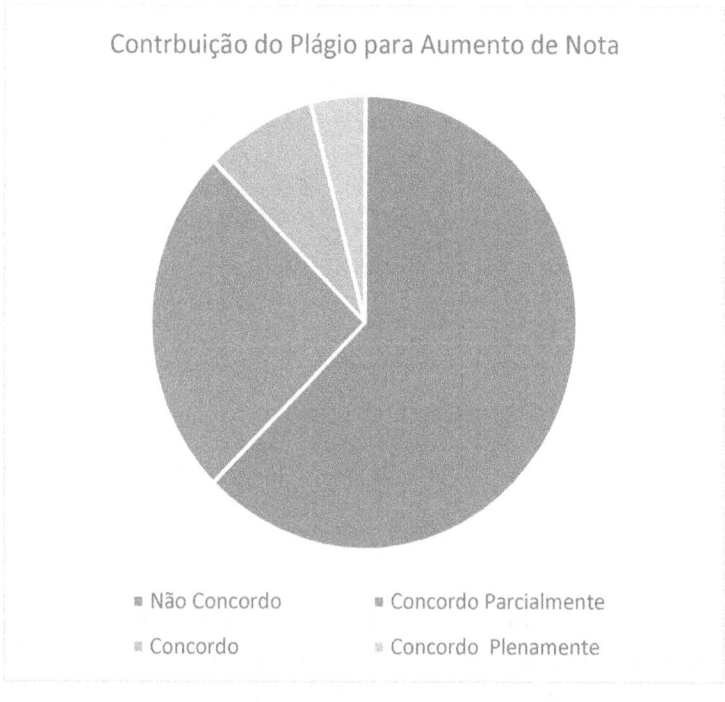

Contrbuição do Plágio para Aumento de Nota

■ Não Concordo   ■ Concordo Parcialmente

■ Concordo   ■ Concordo Plenamente

Em contrapartida, conforme já exposto outrora, é necessário a análise, na figura do aluno e sob o seu olhar acerca do papel dos docentes no processo investigativo e científico, pelo qual é possível analisar na nona questão com o seguinte resultado: Não Concordo – 7 alunos: 29,2%; Concordo Parcialmente – 5 alunos: 20,8%; Concordo – 9 alunos: 37,5%; e Concordo Plenamente – 3 alunos: 12,5%.

A presente estatística da amostragem, qual seja os alunos do 9° período subvertem o gráfico:

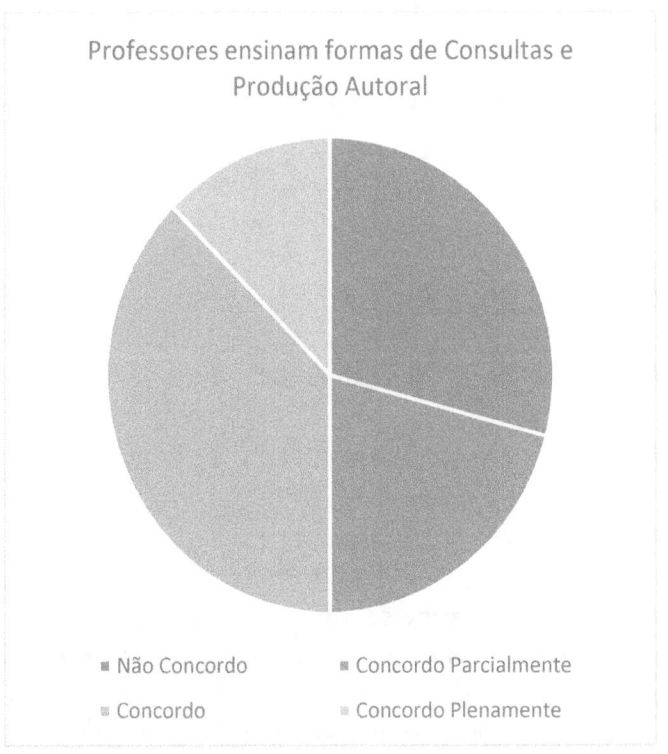

Professores ensinam formas de Consultas e Produção Autoral

- Não Concordo
- Concordo Parcialmente
- Concordo
- Concordo Plenamente

Além disso, fora analisado o senso de responsabilidade a ser imputado para a universidade como forma de propagar e incentivar a autoria e as possíveis sanções em caso de identificação do plágio, pelo qual se observa as estatísticas percentuais: Não Concordo – 0 alunos; Concordo Parcialmente – 1 aluno: 4,2%; Concordo – 12 alunos: 50%; Concordo Plenamente – 11 alunos: 45,8%. Tais demonstrativos seguem graficamente:

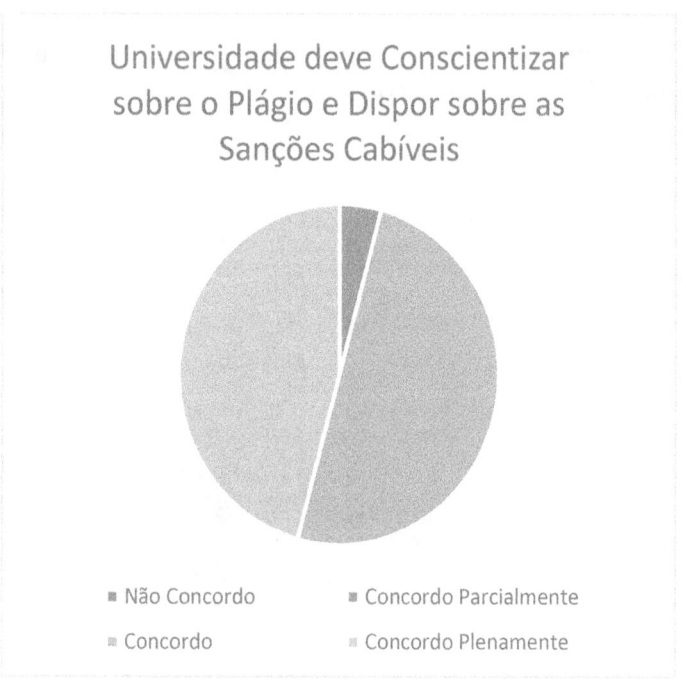

Dessa forma, percebe-se que a enorme parte dos alunos investigados concordam, simplesmente ou plenamente, acerca do dever universitário da Faculdade que faz parte, FAETE, em conscientizar o corpo docente acerca do problema do plágio, bem como apresentar as devidas sanções que permeiam o presente delito.

Passa-se adiante às explanações escritas a mão pelos alunos, com as questões cabalmente gerais com intuito de extrair dos investigados sua subjetiva particularidade com as perguntas levantadas, buscando romper a taxatividade nas respostas, em vistas a dinamizar o estudo, conforme aconteceu com os estudantes do 1º período.

Nesse momento, uma grande curiosidade permeia a presente pesquisa, pois ao responder a décima primeira questão, acerca da conceituação do plágio, cerca de 22 alunos, correspondendo a 91,66%, afirmam que tal categorização está sempre ligada à alguma cópia de obra autoral sem o devido crédito ou citação, entendendo, assim, como a atitude de se valer de produto intelectual de outrem como se seu fosse.

Percebe-se que, diferentemente dos alunos do 1º bloco, os docentes em curso no 9º período da Licenciatura em Direito, delimitam o crime de plágio justamente com o correto ideal de utilização de cópia ilícita, o que ocorre muito provavelmente por estarem em constante contato com a palavra "plágio" pela necessária escrita de seus Trabalhos de Conclusão de Curso – TCC's.

Com relação aos possíveis motivos que poderiam elencar que faz com que os alunos adentrem-se no mundo delituoso do plágio as respostas são bem similares aos estudantes do 1º período, conforme verifica-se nos anexos, levantando questões como a recorrente ideia de insegurança, falta de conhecimento, falta de tempo, preguiça, busca pela rapidez e praticidade na produção.

Entretanto, o que denota uma atenção redobrada é a ideia levantada por M.S.S.S. ao dispor que um dos motivos para a recorrência ao plágio é a busca pelo conhecimento, o que demonstra o total contrassenso desta resposta, tendo em vista que, conforme visto no embasamento teórico desta pesquisa, o plágio atenta diretamente contra a produção do conhecimento científico, bem como agride a propriedade intelectual e toda sua função social.

Além disso, V.R.F.S. expõe que os alunos se recorrem ao plágio como intuito de consultar determinados assuntos com vistas no aprofundamento deste tópico desejado, o que, também denota incongruência com a própria conceituação do plágio, uma vez que pesquisar doutrinas e obras científicas autorais não enseja o cometimento do plágio, ao revés, o pesquisador deve se apoiar em conhecimentos científicos já produzidos, inclinados no estado da arte do assunto, bem como servir de base para a elucidação da temática.

Com relação ao último questionamento, que faz referências as atitudes tomadas pelo professor e universidade quando do descobrimento de plágio académico, as respostas dos alunos do 9º período também coadunam com as respostas encontradas através da análise das respostas dos investigados do 1º período.

Punições referentes a zerar a nota do aluno, chamar atenção do aluno, fiscalização e aplicação do Regime de Normas da Faculdade, bem como imputar a devida responsabilização civil, administrativa e penal.

Entretanto, a reiterada elucidação de uma das respostas chama atenção para a própria função inibitória do professor, qual seja a imputação de que o docente faz "vista grossa", isto é, ignora o plágio e nada faz para repreendê-lo, demonstrando ser de enorme gravidade tal prática se realmente ocorre conforme elucidado, uma vez que aquele que tem como dever procurar erradicar o crime de plágio nada faz para tanto.

Desse modo, as amostragens analisadas, seja dos alunos 1º período, quanto da presente observação crítica das respostas dos discentes do 9º período, percebe-se a real necessidade de discussão acerca do plágio no meio académico, de forma transparente e combatente a tais cópias ilícitas, com o despertar do senso de responsabilidade autoral já mencionado, bem como a percepção da função social da propriedade intelectual como força motriz para o desenvolvimento social, econômico, tecnológico e científico de uma determinada região.

Conclusão

Com o presente trabalho científico percebeu-se, analisando o enquadramento teórico com a elucidação empírica verificada, que o crime de plágio realmente consiste em delito totalmente multilateral, passeando por questões de caráter, ausência de senso de responsabilidade autoral e desconhecimento científico.

É cristalina a necessidade de intervenção académica no processo de produção científica por parte dos alunos, no intuito de melhor despertar o instinto autoral dos alunos, através da elucidação da importância da autoria não só para o mundo universitário, mas para toda a sociedade, destacando, neste ínterim, a imensurável importância da função social da propriedade imaterial.

Isso porque, conforme amplamente exposto, em contraponto ao colhido na exposição empírica, o plágio académico em nada contribui para o crescimento individual do aluno nem como sujeito social que deveria utilizar das pesquisas académicas para sua contribuição científica no meio que o ronda.

É nítida a percepção equivocada dos alunos, muitas vezes sem intermédio dos docentes e da Universidade responsável, de que o plágio académico não venha a trazer prejuízos reais, quando, na verdade, conforme já exposto, nem mesmo as consequências são palpáveis a curto prazo, entretanto, a longo prazo denota a pobreza científica dos alunos e o consequentemente subdesenvolvimento das contribuições científicas para a sociedade.

É justamente nisto que se funda o dever de garantir a função social da propriedade intelectual, pois embora se trate de estímulo à autoria de obras, estas não devem se resumir numa relação de propriedade exclusiva do seu autor, pelo contrário, tal contributo científico deve ultrapassar as barreiras do criador e fazer pouso para aqueles que necessitam deste conhecimento produzido.

O maior desafio, pontualmente demonstrado, se dá justamente na compreensão por parte dos alunos que estão na academia universitária do seu papel social como potencial cientista quando diante de pesquisas e trabalhos académicos a serem realizados.

O rompimento da ideia que restringe a autoria por desejos de notas avaliativas é um dos passos para fazer o alunado verificar a real responsabilidade autoral que este carrega não para si, não para obtenção de valores aprovativos, mas como dever ético, académico, profissional e social que detém perante, no mínimo, à sociedade que lhe cerca.

Por isso é que o presente trabalho, humildemente apresentado, denota apenas um início de discussão científica, académica, acerca do crime de plágio cometido pelos alunos.

Assim, verifica-se a necessidade da constância acerca do debate acerca da presente temática, pois tão somente o diálogo, outras pesquisas e reflexões críticas sobre o plágio académico é que farão com que algo ignorado seja amplamente combatido.

Ainda, vale observar que tal combate, conforme se expôs, não pode ser apenas mediante a legislação penal vigente, seja no Brasil ou em Portugal, porque observa-se que o Direito Penal, correlato à Criminologia, não deve ser o primeiro instrumento a ser utilizado como forma de erradicação do crime de plágio, mas sim a conscientização e o incremento em formação de potencialidades autorais na academias universitárias, como forma de estimular os fatores de proteção que venham a desestimular os alunos ao uso de cópias ilícitas.

É por este motivo que, mesmo concluindo este pontapé inicial de diálogo crítico e empírico acerca do crime de plágio no ambiente académico através da contemporânea tese de mestrado em Criminologia, é dever do pesquisador e todos os docentes, assim como as universidades, deem continuidade ao aberto discurso acerca da necessidade de combate efetivo do plágio, com vistas à autoria e toda sua função social envolvida.

Para tanto, o presente trabalho se pontua com a análise teórica e empírica do crime de plágio académico, todavia, sem dar fim à discussão em voga, qual seja o plágio académico, pois sempre que este estiver latente é necessária sua profunda análise e efetivo enfrentamento, seja por discussões críticas, trabalhos a respeito do tema, bem como programas de fiscalização e identificação dos plagiadores.

Ainda, com o real cumprimento do objetivo do presente trabalho académico de Mestrado, observa-se que a maior necessidade e que deve vir a ser primeiramente atendida é justamente a informação acerca do crime de plágio e suas consequências, os modos de incidência em tal tipo penal, bem como formas de evitar esta conduta delitiva.

Cumpre analisar que a informação acerca do crime de plágio não basta em si, pois como exposto, é apenas o primeiro passo, dentre tantos outros que levarão ao maior fator de proteção contra a incidência deste delito, qual seja a conscientização do alunado perante a informação repassada.

Isto é, a presente tese demonstrou que existe a precária informação a respeito do crime de plágio, mas também deve-se superar este papel informativo e adentrar na conscientização humana, pois esta sim é capaz de mudar e provocar a verdadeira forma de combate ao crime de plágio e, consequentemente, o estímulo à autoria e a função social das produções científicas.

Bibliografia

Almeida Pimenta; M.A.; Silva Ramos, F. (2013). Plágio, propriedade intelectual e produção académica: uma discussão necessária. Revista Eletrônica de Direito da Universidade Federal de Santa Maria. 12.

Altomare Ariente, E. (2015). A função social da propriedade intelectual. Rio de Janeiro: Editora Lumen Juris.

Batista de Oliveira, T.A.; Firpo Prado Valença, K. (2015). A importância da metodologia científica para o ensino e aprendizagem no ensino superior. Grupo de Trabalhos Metodologias e Aprendizagem no Ensino Superior da Pontifícia Universidade Católica do Paraná. 2-4.

Carvalho Kuerten Dellagnello, A.; Cerutti-Rizzatti, M.E. (2016). Desafios à educação para a autoria na esfera académica. Ilha do Desterro. 69. 4-5.

Carvalho Pereira, J., Calabró, L., Fontoura Teixeira, M. R., & Gomes de Souza, D. O. (2014). Redes de coautoria identificadas na produção científica em programa de pós-graduação da Universidade Federal do Rio Grande do Sul. RBPG. Revista Brasileira De Pós-Graduação.

Chacarolli Junior, O.; Dutra Oliveira Neto, J. (2013). A visão da honestidade académica de professores e alunos de um curso superior em contabilidade. BASE. Revista de Administração e Contabilidade da Unisinos. 10(4). 4.

Chaves de Farias, C.; Rosenvald, N. (2013). Curso de direito civil: parte geral e lindb. 11 edição. Salvador: Editora Juspoivm.

Código Penal Brasileiro. Decreto-lei nº 2.848. (1940). Brasília, DF: Senado Federal: Centro Gráfico, 1940. BRASIL.

Constituição (1988). Constituição da República Federativa do Brasil. Brasília, DF: Senado Federal: Centro Gráfico, 1988. 292 p. BRASIL.

Constituição (1976). Constituição da República Portuguesa. (2002). Coimbra: Almedina.

Costa, F. J.; Muzzio, H.; Tavares de Sousa, S.C. (2017). Um reflexo sobre autoria académica. TPA. Teoria e Prática em Administração. 7. 14-15.

Decreto-lei nº 63. (1985). Código de Direito do Autor e Direitos Conexos. (2014). 2 edição. Lisboa: Almedina.

Habib, G. (2016). Leis penais especiais. In. Leonardo de Medeiros Garcia. Coleção Leis Especiais para Concursos. Salvador: Editora Juspodivm.

Krokoscz, M. (2012). Autoria e plágio: um guia para estudantes, professores, pesquisadores e editores. São Paulo: Editora Atlas S.A.

Krokoscz, M. (2015). Outras palavras sobre autoria e plágio. São Paulo: Editora Atlas S.A.

Lei nº 9.099. (1995). Lei dos Juizados Especiais Cíveis e Criminais. Brasília, DF: Senado Federal: Centro Gráfico, 1995. BRASIL.

Lei nº 9.610. (1998). Lei dos Direitos Autorais. Brasília, DF: Senado Federal: Centro Gráfico, 1998. BRASIL.

Lei nº 12.965. (2014). Marco Civil da Internet. Brasília, DF: Senado Federal: Centro Gráfico, 2014. BRASIL.

Michaelis. (2012). Dicionário prático língua portuguesa: nova ortografia conforme o acordo ortográfico da língua portuguesa. São Paulo: Editora Melhoramentos.

Pomim Valentim, M. L. (2014). Ética em pesquisa: a questão do plágio. In R. Ribeiro Gonçalves da Silva. Direito autoral, propriedade intelectual e plágio. Salvador: Editora EDUFBA.

Veloso Lago, Bruno; Tramarim, Erika. (2016). A aplicação do marco civil no poder judiciário. In F. Mansur Murad. Propriedade intelectual, internet e o marco civil. São Paulo: Editora Edipro.

Moraes, R. (2014). O autor existe e não morreu! cultura digital e a equivocada "coletivização da autoria". In R. Ribeiro Gonçalves da Silva. Direito autoral, propriedade intelectual e plágio. Salvador: Editora EDUFBA.

Paula Rodrigues Maggio, V. de. (2012). Considerações sobre a violação do direito autoral. Jusbrasil.

Nunes, Rizzatto. (2018). Manual de introdução ao estudo do direito. 15 edição. São Paulo: Editora Saraiva.

Silva Gonçalves, N.M. (2018). A função social do direito de autor. Cascais: Editora Princípia.

Sanches Cunha, R. (2010). Direito penal: parte especial. Coleção ciências criminais. v. 3 / Coordenação Luiz Flávio Gomes. São Paulo: Revista dos Tribunais. 220.

Schneider, M. (1990). Ladrões de palavras: ensaio sobre o plágio, a psicanálise e o pensamento. Tradução de Luiz Fernando P. N. Franco. Campinas: Editora da UNICAMP.